LES ENFANTS DU SABBAT

Les Songes en équilibre, poèmes, Montréal, Éditions de l'Arbre, 1942.

Le Torrent, nouvelles, Montréal, Éditions Beauchemin, 1950 ; Paris, Éditions du Seuil, 1965 et Montréal, Éditions H.M.H., 1976.

Le Tombeau des rois, poèmes, Montréal, Institut littéraire du Québec, 1953.

Les Chambres de bois, roman, Paris, Éditions du Seuil, 1958 et coll. « Points Roman », 1985.

Poèmes, Paris, Éditions du Seuil, 1960.

Le Temps sauvage, théâtre, Montréal, Éditions H.M.H., 1967.

Dialogue sur la traduction, en collaboration avec Frank Scott, Montréal, Éditions H.M.H., 1970.

Kamouraska, roman, Éditions du Seuil, 1970 et coll. « Points Roman », 1983.

Héloïse, roman, Paris, Éditions du Seuil, 1980.

Les Fous de Bassan, roman, Paris, Éditions du Seuil, 1982.

Le Premier Jardin, roman, Paris, Éditions du Seuil, 1988 ; Montréal, Éditions du Boréal, coll. « Boréal compact », 2000.

La Cage suivi de *L'Île de la demoiselle,* théâtre, Montréal/Paris, Éditions du Boréal/Éditions du Seuil, 1990.

L'Enfant chargé de songes, roman, Paris, Éditions du Seuil, 1992.

Le jour n'a d'égal que la nuit, poèmes, Montréal/Paris, Éditions du Boréal/Éditions du Seuil, 1992.

Œuvre poétique 1950-1990, Montréal/Paris, Éditions du Boréal/Éditions du Seuil, coll. « Boréal compact », 1992.

Aurélien, Clara, Mademoiselle et le Lieutenant anglais, roman, Paris, Éditions du Seuil, 1995.

Poèmes pour la main gauche, Montréal, Éditions du Boréal, 1997.

Est-ce que je te dérange ?, récit, Paris, Éditions du Seuil, 1998.

Un habit de lumière, roman, Paris, Éditions du Seuil, 1999.

Anne Hébert

LES ENFANTS DU SABBAT

roman

ÉDITIONS DU SEUIL
27, rue Jacob, Paris VIe

Les Éditions du Boréal remercient le Conseil des Arts du Canada
ainsi que le ministère du Patrimoine canadien et la SODEC
pour leur soutien financier.

Illustration de la couverture : © Jean Paul Lemieux, *Les Ursulines,* 1951,
Musée du Québec.

Diffusion au Canada : Dimedia

Données de catalogage avant publication (Canada)

Hébert, Anne, 1916-

    Les Enfants du sabbat

    (Boréal compact ; 66)
    Éd. originale : Paris : Seuil, c1975.

    ISBN 2-89052-699-2

    I. Titre.

PS8515.E16E54   1995   C843' .54   C95-940670-0
PS9515.E16E54   1995
PQ3919.2.H42E54 1995

Tant que dura la vision de la cabane, sœur Julie de la Trinité, immobile, dans sa cellule, les bras croisés sur la poitrine, dans toute l'ampleur et la rigidité de son costume de dame du Précieux-Sang, examina la cabane en détail, comme si elle devait en rendre compte, au jour du Jugement dernier.

C'était la première fois que, depuis son entrée au couvent, elle se permettait un tel regard, non plus furtif, aussitôt réprimé, mais volontaire et réfléchi. L'intention d'user à jamais une image obsédante. Se débarrasser de la cabane de son enfance. S'en défaire, une fois pour toutes. Et surtout, ah, surtout! être délivrée du couple sacré qui présidait à la destinée de la cabane, quelque part, dans la montagne de B..., parmi les roches, les troncs d'arbres enchevêtrés, les souches et les fardoches.

Un homme et une femme se tiennent debout, dans l'encadrement de la porte, souriant de leur grande bouche rouge aux dents blanches. Le soleil, comme une boule de feu, va basculer derrière la montagne, illuminant le ciel, teignant de rose les mains tannées de l'homme et de la femme. Un petit garçon ouvre sa culotte déchirée, pisse très haut, atteint le tronc d'un pin, dont la tête se perd dans le ciel, visant en réalité le soleil qui va mourir.

La petite sœur l'admire pour cela. Assise sur un tas de bûches, elle fourrage dans sa tignasse pleine de paille, d'herbe et d'aiguilles de pin. Son cou, ses bras et ses jambes hâlés sont criblés de piqûres de maringouins. L'air est parfumé, sonore d'insectes et d'oiseaux.

7

Sœur Julie voit de tout près l'homme, la femme et les deux enfants, d'une façon nette et précise. La lumière qui baigne la scène devient sensible à outrance, comme les choses uniques qui vont disparaître. Craignant je ne sais quelle blessure qui pourrait lui venir de la lumière, sœur Julie entreprend, pour se calmer, de prendre les mesures exactes de la cabane et d'en faire un inventaire méthodique.

La cabane n'est pas très grande, composée d'allonges successives qui lui donnent un air épars de blocs de bois, à moitié mangés par la forêt, posés à des hauteurs différentes, plus ou moins d'aplomb, mal reliés ensemble, sur de grosses roches, en guise de pilotis. Le bloc principal (de quinze pieds sur douze) se reconnaît à sa porte, autrefois rouge, maintenant violette et rose. Les deux fenêtres carrées de chaque côté de la porte sont aussi bordées de la même couleur passée. Il faut monter deux marches de bois usées pour atteindre la porte. Les murs de planches rayonnent, gris argenté, doux au toucher, patinés par la pluie, le soleil et la neige, semblables aux épaves qu'on trouve sur les grèves.

Une fois entré dans la pièce principale, on est tout de suite saisi par l'odeur puissante qui règne là. Le porc salé cuit dans la poêle avec un grésillement régulier. Des fumées de tabac flottent au-dessus de la table. On peut aussi discerner la senteur fauve du père et de la mère, celle plus acide des deux enfants, jamais peignés, pleins de poux et tout crottés. Une cuvette de granit bleu écaillé est posée sur le plancher de bois brut, juste au-dessous d'une pompe noire, à moitié rouillée. Dans un coin quelques pommes de terre s'échappent d'un sac de jute.

— Des patates, des patates, encore des patates !

Une voix de femme intervient à son tour, se mêle à l'odeur.

Une voix de femme rauque et grasse.

— Des patates, des patates, encore des patates et pis à moitié pourrites, par-dessus le marché !

Et voici qu'on n'entend plus frire le porc salé dans la poêle. Plus aucune fumée grasse ne s'échappe, quoique l'odeur du porc frit et celle, encore plus lourde, du lard bouilli imprègnent à jamais les murs de sapin et les poutres mal écorcées du plafond.

Pendu à un clou, sur le mur, s'étale un étrange chapeau de femme, en paille bleue, avec un oiseau et une fleur emmêlant leurs fils de laiton rouges et dorés.

— Je vas mettre mon beau chapeau sur ma tête, pis je vas descendre en ville chez Georgiana. Je suis tannée de manger des patates pourrites, moé... Si tu veux pas travailler, Adélard, c'est moé qui...

Tandis que la menace du départ de la mère plane dans la cuisine et que le père s'enferme dans son silence, on peut s'échapper par la porte du fond. Cette porte, mal rabotée, possède une poignée de porcelaine blanche, éblouissante.

Une fois la porte ouverte, il n'y a qu'à suivre la passerelle de planches à ciel ouvert qui conduit aux chambres d'été. Cette passerelle, mal assise sur des pierres d'inégale hauteur, est cahoteuse et donne l'impression de bouger sous vos pieds. On peut voir la terre battue entre les planches disjointes. Parfois une longue couleuvre verte se déroule brusquement sous vos pieds et se perd, avec un bruit de toile froissée, parmi les fougères rousses et la rhubarbe sauvage qui bordent la passerelle.

Les deux chambres sont petites et sans fenêtre, de vraies cases de bois bien fermées. Sur le mur, de longues bandes d'écorce que les enfants s'amusent à arracher avec leurs canifs.

Dans la chambre des parents, le lit, à l'armature de fer tarabiscotée, prend toute la place. Le matelas fait des bosses abruptes, comme des rochers, sous l'épaisseur de la courtepointe rouge et violette.

Les enfants dorment sur des paillasses posées sur le plancher, heureux de retrouver chaque soir leur propre odeur mêlée à cette vieille paille piquante et crasseuse.

Ils se pelotonnent dedans comme dans le ventre d'une bête familière et rude. Ils y enfouissent parfois même leur tête, au risque d'étouffer.

Pour sortir de la chambre des enfants, il faut traverser la chambre des parents. Lorsque les noces du père et de la mère se prolongent tout le jour, les enfants se trouvent bloqués dans leur chambre, jusqu'au lendemain.

Sœur Julie éprouve l'angoisse des enfants. Elle se prend à dire, avec la petite fille, ne faisant soudain plus qu'une seule et même personne avec la petite fille :

— Ça va-t-y finir ! Mon Dou ! Ça va-t-y finir !

Mais sœur Julie ne peut s'empêcher d'entendre tout le remue-ménage de caresses et de coups qui se passe de l'autre côté de la cloison.

Lorsqu'il lui faut traverser la chambre des parents, il n'y a plus personne. La pièce est vide. Elle en éprouve à la fois un grand soulagement et une grande tristesse. Le lit trône, énorme, avec sa courtepointe à moitié crevée.

Une porte découpée à même la cloison est ouverte et donne sur le hangar.

Dans ce hangar, il y a déjà eu des lapins, entassés dans des cages, et des poules qui picoraient librement sur la paille. Mais il n'y a plus rien de vivant ici, que du vieux foin et de la paille souillée. Dans un coin, un bac de terre plein d'herbes fanées, plantées en rangs serrés. Il suffisait autrefois de pousser la paille avec le pied pour découvrir l'anneau de fer et la trappe qui s'ouvrait dans le plancher.

La même lumière qui illuminait tout à l'heure la cabane, sous les arbres (la lumière venant de la tête de sœur Julie, comme un phare), éclaire maintenant l'échelle de bois et la cave aux murs de pierre tachés par une mousse verte et limoneuse, comme celle qu'on voit sur les rochers, au milieu des torrents.

Sous un éclairage aussi cru on ne peut que constater le bon fonctionnement de l'alambic, en parfait état de marche, avec sa cheminée fumante, son serpentin et sa chaudière bien remplie de bûches. Un liquide étrange et joyeux bouillonne doucement. Par terre, des bûches en désordre.

Les bouilleurs de cru ne doivent pas être loin.

Sur une longue planche disposée sur des tréteaux, sont alignés des bouteilles, des cruches de verre et un entonnoir de fer-blanc.

La lumière baisse peu à peu. Sœur Julie a à peine le temps d'examiner une des cruches vides. Une cruche de verre comme celles dans lesquelles on achète le vinaigre. On peut encore voir l'étiquette verte : *Une des cinquante-sept variétés Heinz.*

La lumière disparaît tout à fait. On est plongé dans l'obscurité. L'alambic siffle et crépite à qui mieux mieux.

Un pas lourd et précautionneux s'approche de la cabane. Quelqu'un gratte avec ses ongles dans le panneau de la porte. Une voix d'homme, à la fois impérieuse et suppliante, grommelle le mot de passe :

— La Goglue, y es-tu ?

Une femme bouge dans l'ombre de la cave. Impossible d'apercevoir son visage. Elle verse un liquide dans une des cruches de verre à l'étiquette verte, trompeuse. Son mari est auprès d'elle qui surveille l'opération. Il rit. Tandis que l'homme au-dehors, contre la porte d'entrée, s'impatiente, réclame son gallon de bagosse[1]. Il hurle maintenant :

— La Goglue, y es-tu ?

Sœur Julie revient brusquement à elle, dans la nudité de sa cellule. Non pas comme si elle avait dormi et rêvé, mais comme si quelque chose de réel et d'extrêmement précis venait soudain de s'effacer devant elle. Elle en éprouve une impression d'abandon très grande. Dans une cabane, perdue dans la montagne, on a faim d'elle, plus que Dieu n'eut jamais faim de son âme. Et sœur

---

1. **Bagosse** : alcool de fabrication clandestine. Vers les années trente et quarante, certains petits villages québécois, éloignés des villes, se trouvaient totalement privés d'alcool et même de bière.

Julie aussi est affamée de cela qui est caché dans la montagne. Plus que de toute sa vie au couvent. Plus que de Dieu même.

Elle ressent une douleur aiguë à la tête et à la nuque.

La petite tête de hibou tourne avec difficulté sur le cou large et très blanc. Sœur Julie de la Trinité regarde le médecin en face d'elle. Sœur Julie se voit reflétée dans les énormes lunettes d'écaille du médecin. Elle contemple le costume de son humiliation. Le serre-tête de toile laisse passer des petits cheveux raides. La chemise d'hôpital se termine aux genoux et s'ouvre dans le dos, sur les fesses rondes de sœur Julie.

La question, la vraie question, celle qui me sortirait la vraie réponse du corps, comme une dent arrachée. Ma réalité mise à nu, sortie d'entre mes côtes. Mon cœur tout entier. Non, aucun de ces petits questionneurs ne parviendra à me soutirer la moindre parcelle de vérité. Ils ne m'auront pas vivante. Ils peuvent toujours parler et questionner sans arrêt, ils ne savent pas ce qu'ils cherchent. Et même s'ils parvenaient à me cerner dans mes derniers retranchements, à sonder mes reins et mon cœur, avec des instruments subtils, ils n'en croiraient pas leurs yeux ni leurs oreilles. Celui-ci parle depuis un bon moment déjà. J'entends sa voix plate, à la limite de ma patience. Une litanie dégoûtante qui parle d'urine et de sang, d'excréments, de boyaux éclairés par le baryum, de squelette visible à travers la chair et la peau, de crâne scalpé, dénudé jusqu'à l'os par les rayons X.

— Vous êtes en parfaite santé, ma sœur.

— Je ne puis plus supporter la coiffe. Elle me brûle comme du feu. Notre mère supérieure vous le dira. Elle a vu, de ses yeux vu, les traces rouges dans mon cou, sur mon front et ma nuque. Cela me serre comme un étau. Des tenailles de fer terribles...

13

— Vous êtes très nerveuse, ma sœur. Avez-vous remarqué si les migraines ne se déclaraient pas au moment de vos règles ?

Sœur Julie regarde droit devant elle. Tout son visage semble changé en pierre. Son œil jaune s'étale, se fige. Ses lèvres se serrent. Elle porte à son front une main enfantine, aux ongles courts, robuste comme celle d'un petit garçon.

— J'ai presque toujours mal à la tête. Mais, à mesure que la date prévue pour ma profession approche, ça devient intolérable. Il me semble que mes os craquent. Je ne puis plus bouger les épaules ni tourner la tête...

— Vous avez beaucoup d'imagination, ma sœur.

— Par deux fois déjà j'ai dû ajourner la date de ma profession...

— Que dit votre mère supérieure ?

— Elle dit que c'est une tentation du démon et qu'il faut prier sans cesse.

— Vous pouvez toujours prier, ma sœur. Cela ne peut vous faire de mal. Mais vous avez aussi besoin de vitamines et d'air pur. N'oubliez pas d'ouvrir les fenêtres chaque fois que vous le pourrez, et de respirer profondément. Et puis buvez du lait, beaucoup de lait.

Quelle belle ordonnance nous avons, autant l'épingler à la tête de notre lit, comme une image sainte ! Pour ce qui est d'ouvrir les fenêtres, notre mère supérieure nous l'a défendu.

La voix, presque souterraine, de la supérieure s'insinue tout près de l'épaule de sœur Julie.

— On ne sait jamais ce qui peut nous venir de l'extérieur, caché dans une poussière, dans une escarbille. Le démon est rusé, insidieux, comme un grain de sable.

De nouveau, le docteur :

— Vous pouvez quitter l'hôpital, ma sœur. Je vous donne votre congé. N'oubliez pas : de l'air pur, du lait pasteurisé, du fer et de la vitamine C. Ni thé ni café. Du calme et de la bonne humeur et tout ira bien.

Il faut se considérer guérie, démystifiée plutôt, réduite

14

à sa plus simple expression, débarrassée des fausses douleurs et de la parodie du désespoir.

Quitter l'hôpital le plus rapidement possible, cesser d'être tournée et retournée, dans tous les sens, comme un objet suspect, ne plus être soupçonnée d'aucune tare dans le sang ou les os, ne plus craindre aucune opération à cœur ouvert, regarder sa prison avec son secret intact, s'habiller sans le secours d'aucune glace, avec des gestes précis d'aveugle, et retrouver la robe noire des dames du Précieux-Sang, le scapulaire, la guimpe et la coiffe de toile blanche, le voile blanc des novices, le rosaire pendu à la ceinture de corde. Attendre de prononcer ses vœux perpétuels.

Ce n'est pas que ma coiffe me brûle déjà, mais je la sens très bien à nouveau le long de mes joues, comme si elle était dessinée sur ma peau avec un canif très fin, à peine appuyé.

— Vous venez, ma sœur ? La voiture du couvent nous attend. Vous êtes sûre de ne rien oublier ?

Sœur Gemma ouvre et referme avec fracas les tiroirs de métal. Elle rayonne de joie. Elle s'agite et met sur les épaules de sœur Julie une cape noire, usée, soigneusement reprisée. Sa voix haut perchée exulte :

— Alors, ma sœur, vous n'avez rien du tout, pas la moindre petite maladie. Le docteur l'a dit. Vous devez être contente d'être en parfaite santé ?

La cape est lourde sur mes épaules, comme du plomb. Notre sœur Geneviève de la Sainte-Face l'a portée jusqu'à sa mort. J'en ai hérité avec l'odeur de vieille sœur malade dont elle est imprégnée.

Les mains enfouies dans leurs manches, les jupes bien étalées sur la banquette de la voiture, les deux religieuses se préparent à traverser la ville.

Les rues sont ouvertes, les gens sont dehors. Des hommes, des femmes et des enfants. Du soleil par larges étendues. Des taches d'ombre, bien dessinées. Le monde est clair et net. Le ciel incroyablement bleu. Ici et là, des affiches nous engagent à souscrire à l'emprunt de la victoire. C'est l'été. Des voitures sont alignées le long des trottoirs, d'autres filent à toute vitesse. Le jour est là, mouvant et coloré. Eclat. Flashes rapides. Des fragments de vie tourbillonnent autour de la voiture des sœurs. Nuées d'éphémères. Les glaces sont soigneusement fermées.

Sœur Gemma jette des regards furtifs. Sa figure ingrate, couleur d'ivoire, s'illumine par éclairs, à chaque vitrine qui passe.

Sœur Julie serre les poings à l'intérieur de ses larges manches.

Je n'ai plus l'énergie, ni même le désir, de glisser un coup d'œil de profil, à travers ma coiffe. Dieu le veut sans doute ainsi, afin que je renonce à toute image qui pourrait me venir de la ville. Je n'ai plus qu'à traverser le monde, comme une aveugle, continuer de croire à l'ombre possible de Dieu. Là-bas peut-être ? Au bout du chemin, après l'espace entier de la vie et de la mort traversées.

Hors les murs. La Grande-Allée. Une maison de pierre de taille, isolée de ses voisines, attire sœur Julie. Elle se fige devant la maison étrangère.

On ne peut pas dire que sœur Julie soit perdue dans un rêve. Au contraire, toute sa personne, emmaillotée de linge et de drap, semble dans un état d'éveil suraigu. Elle se défend en vain, contre la terre du jardin, à peine entrevu, contre les arbres du jardin, contre la maison silencieuse.

Sœur Gemma susurre à l'oreille de sœur Julie, comme si elle continuait d'égrener son chapelet pour elle seule :

— On dit que Me Talbot ne s'est jamais très bien conduit avec sa femme. Il a toujours été dur avec elle. On dit aussi que la pauvre femme est très malade.

Sœur Julie sait que, dans la maison fermée, dans une des chambres du premier étage, à travers une peau de plus en plus transparente, pointe un fin squelette de craie blanche. Sœur Julie se signe, à la dérobée, d'un coup de pouce léger sur sa poitrine. Trop tard. Toute la personne de sœur Julie est capturée par des forces obscures, attirée dans la maison des Talbot, mise en présence de la chose intolérable qui se passe au premier étage de la maison. Admise au chevet de la mourante, tel un témoin indispensable, sœur Julie s'empresse aussitôt d'annoncer la nouvelle.

Elle se penche vers sœur Gemma et lui parle très bas, sans bouger la tête ni même ouvrir la bouche, semble-t-il :

— Il faut prier, sœur Gemma, tout de suite, bien fort. Mme Talbot est en train de mourir...

Je n'aspire qu'à prononcer mes vœux le plus rapidement possible. Qu'il ne me soit plus permis de revenir en arrière, et je serai sauvée. Je ne demande à Dieu qu'une seule chose ; devenir pour l'éternité une religieuse comme les autres, me perdre parmi les autres et ne plus donner prise à aucune singularité. Une petite nonne interchangeable, parmi d'autres petites nonnes interchangeables, alignées, deux par deux, même costume, mêmes gestes, mêmes petites lunettes cerclées de métal. Si vous l'exigez, j'en porterai aussi, quoique j'aie une vue perçante. Un dentier aussi, si vous voulez, bien que j'aie des dents solides et éclatantes. Un visage lisse, sans aucune expression de joie ou de peine, nivelé, raboté, effacé.

Mme Talbot est morte à l'heure et au moment précis où sœur Julie l'a annoncé à sœur Gemma. Sœur Gemma tremble en chuchotant la nouvelle à ses compagnes.

Un coup sec de claquoir met fin aux murmures des sœurs en récréation. Le règlement est formel. Toute parole qui franchit le mur du silence, en temps et lieux permis et réservés à cet usage, doit être prononcée à haute et intelligible voix, en vue de l'édification du plus grand nombre de nos sœurs. Les conversations en aparté ou à voix basse sont rigoureusement interdites.

La mère supérieure s'empresse de rappeler à sœur Gemma que notre Sainte Mère l'Eglise, dans sa sagesse infinie, nous recommande la plus grande prudence quant à l'interprétation surnaturelle de certains phénomènes par trop extraordinaires. Elle décide d'entendre sœur Julie sur-le-champ.

Mère Marie-Clotilde de la Croix, derrière son bureau, examine sœur Julie avec une application démesurée.

Sœur Julie baisse la tête et voudrait cacher son visage dans ses mains.

Mère Marie-Clotilde ne quitte pas sœur Julie des yeux.

J'ai rang de supérieure et j'ai des filles sous mes ordres. Je dis à l'une : va, et elle va ; à l'autre : viens, et elle vient ; et à la nouvelle postulante qui entre ici : fais cela, et elle le fait. Ne faut-il pas que mes filles, sans exception, soient devant moi, comme des livres ouverts, afin que je puisse lire leur âme sans effort ? Tel est mon devoir de supérieure et de directrice spirituelle. Mais cette petite sœur Julie, quelle épine dans ma vie ! Son âme se dérobe. Cet air renfrogné, composé, presque sournois, pas naturel, qu'elle a en ce moment, quelque chose de contrefait...

— Le rapport du médecin est formel. Vous êtes saine de corps et d'esprit. C'est votre âme qui est malade, dangereusement malade. Nous allons nous employer, avec la grâce de Dieu, à hâter votre guérison.

Sœur Julie se tait et ferme les yeux, comme si elle dormait, debout, tout armée.

— Savez-vous, ma sœur, qu'on peut mentir en ne répondant pas et en se taisant ?

— M. l'aumônier me l'a déjà dit.

— Qu'attendez-vous pour vous décharger le cœur ? Avouez, ma fille. Avouez, et vous serez délivrée. Et vous pourrez prononcer vos vœux, dans la paix de l'âme, à la prochaine cérémonie de prise d'habit. Avouez que vos prétendues révélations ne sont que des contes et des sornettes que vous racontez à vos compagnes pour vous rendre intéressante ? Avouez que vos prétendues douleurs ne sont que des comédies ?

Sœur Julie continue de se taire. Ses ongles s'enfoncent dans ses paumes.

— A quoi pensez-vous, ma sœur ? Comment voulez-vous que Dieu vous aide, si vous refusez de m'ouvrir votre âme, à moi, votre supérieure ?

Sœur Julie se décide à parler, avec une toute petite voix suave qui semble ne pas lui appartenir.

— Je m'engage devant vous, ma mère, à ne plus jamais me plaindre d'aucun mal ou douleur, à ne plus jamais croire à aucun pressentiment et à accomplir fidèlement mon devoir...

— Notre Sainte Règle est là pour vous aider. Soyez fidèle dans les plus petites choses, et Dieu fera le reste. Il s'agit d'effacer, à tout jamais, ces simulacres de maladie et d'illumination dont vous avez été victime et complice. Ne vous attendrissez plus sur vous-même. Ne vous fiez pas à vous-même surtout. Il faut, vous m'entendez, vous abandonner à l'obéissance la plus stricte. C'est votre dernière chance. Si vous n'arrivez pas à prononcer vos vœux perpétuels à la prochaine prise d'habit, en septembre, vous êtes perdue. Je ne puis plus rien pour vous. Notre couvent vous rejettera et le monde vous reprendra, pour votre damnation, sans doute. Une religieuse qui manque à sa vocation ne trouve pas facilement la paix, en cette vie et dans l'autre. Votre silence est plus dur qu'un mur, ma sœur. Comment voulez-vous que je vous aide ? Vous refusez tout secours. Vous découragez les meilleures volontés.

De nouveau la voix ironique, irréelle, de sœur Julie.

— Je ferai ce que vous me direz de faire, ma mère.

— Vous devriez vous confesser, le plus tôt possible, ma fille. Peut-être, avec la grâce de Dieu, M. l'aumônier pourra-t-il vous délivrer de votre secret ?

— Je me confesserai, ma mère, je vous le promets.

— Mettez-vous à genoux, ma fille, je vais vous bénir.

Sœur Julie s'agenouille sur le parquet. Aux pieds de la supérieure. Le visage de sœur Julie, réduit à l'arête crochue du nez, aux larges paupières baissées, ne laisse nullement deviner les joues rondes, escamotées par la coiffe de toile blanche.

Mère Marie-Clotilde, d'une main ferme, trace le signe de la croix sur la tête inclinée de sœur Julie.

Sœur Julie, les deux genoux en terre, s'abîme dans la

contemplation du parquet bien ciré. La tête lui tourne. Le parquet miroite et prend une importance excessive, emporte sœur Julie dans son éblouissement, lui fait chavirer l'esprit. Vertige.

Un seau plein d'eau de Javel est là, soudain posé par terre. Voici que mère Marie-Clotilde se dédouble et descend de sa chaise, s'approche sans bruit de sœur Julie, s'agenouille à son côté. Sœur Julie a déjà commencé de laver le parquet, selon les ordres reçus. La supérieure trempe la serpillière dans le seau et, sans tordre le linge, longuement, baigne le visage de sœur Julie qui éprouve à la fois une douleur et une volupté extraordinaires. Tandis que tout autour d'elle le plancher se décape et devient rude, tout plein d'échardes.

— Il faut que le visage de mes filles soit lessivé comme un plancher clair,

ricane une voix méconnaissable.

Sœur Julie relève la tête précipitamment. La supérieure ne semble pas avoir bougé. Elle est toujours à sa place, sur sa chaise, derrière son bureau, la main levée pour bénir sœur Julie, indéfiniment, pourrait-on croire. Elle a pourtant un haut-le-cœur, comme si sœur Julie, agenouillée à ses pieds, venait de mimer devant elle une scène indécente, très compromettante pour la supérieure et toute la communauté.

Déjà, sœur Julie appréhende le moment où il lui faudra confesser ses visions, comme des fautes.

— A quoi pensez-vous donc, ma sœur ? Je vous ordonne de me répondre.

— A rien, ma mère. A rien, je vous assure.

La large face de mère Marie-Clotilde. Son bel œil de cheval, mobile et effrayé, grossi par le verre des lunettes, demeure posé sur sœur Julie, sans cils ni aucune ombre. Toute la personne de mère Marie-Clotilde est livrée à une épuisante curiosité.

— Relevez-vous, ma fille. Notre père aumônier saura bien vous délier la langue, lui. Il vous entendra en confession.

Sœur Julie se redresse, d'un bond excessivement brusque. Elle regarde mère Marie-Clotilde droit dans les yeux.

Mon visage à lire, ma mère, dur, lisse ; un vrai caillou. Que ma mère supérieure y lise ce qui lui revient de droit ; l'obéissance, la soumission. Mais pour le cœur le plus noir de mon cœur, ma nuit obscure, ma vocation secrète, que ma mère supérieure aiguise en vain sa curiosité ! Je défends ma vie. Je suis sûre que je défends ma vie.

La voix, maintenant éclatante, presque triomphante, de sœur Julie :

— J'irai à confesse, ma mère, puisque vous me l'ordonnez. M. l'aumônier m'attend. Je suis sûre qu'il m'attend. C'est l'heure.

Sœur Julie quitte la pièce à grandes enjambées.

Mère Marie-Clotilde, debout, toute droite, contemple avec stupeur ses grandes mains, comme séparées de son corps, qui tremblent de rage.

Sœur Julie se met à courir. Trois corridors et deux escaliers n'arrivent pas à épuiser l'énergie de sœur Julie. On dirait un vent très fort la poussant, dans un paquet de voiles larguées vers le large.

Notre saint habit ne m'a jamais semblé plus maniable ni plus souple, c'est comme si je volais.

En approchant de la chapelle, sœur Julie ralentit le pas. Ses jupes redeviennent très lourdes et sa coiffe extrêmement serrée sur sa tête, le long de ses joues.

J'ai promis de rester dans ce couvent jusqu'à la fin de mes jours. Je l'ai promis. Se plier à la règle, subir la loi. Je l'ai promis.

Sœur Julie avance de plus en plus difficilement. Elle rencontre à chaque pas une étrange résistance dans l'air, soulève avec ses genoux, avec ses cuisses, la masse compacte de ses jupes changées en plomb.

Je marche pour mon frère Joseph qui est à la guerre. Chaque pas que je fais me demande un tel effort. Je veux croire à la communion des saints. Que Joseph se repose un peu pendant que je mets péniblement un pas devant l'autre. Qu'il en profite, lui, pour s'asseoir au bord de la route, près d'un fossé peut-être, ou à l'ombre d'un mur, déposant tout son barda à côté de lui, sur l'herbe fraîche ! Il pourra boire de l'eau dans une gourde pendue à sa ceinture. Et moi, j'essaierai, pendant ce temps, de voir à travers les mots anglais estampillés sur toutes les lettres que j'ai reçues de lui : *Somewhere on the front.* Je tenterai de voir quel visage il a. Une barbe de trois jours sans doute. La sueur lui coule le long des joues. Le plus beau parmi les enfants des hommes. Il a maigri. Je suis sûre qu'il a maigri. Il est plus maigre que le Christ sur la Croix. Plus beau infiniment aussi. C'est lui que j'adore en secret. Je sais que c'est un sacrilège. Que pas un des prophètes ne s'avise de compter ses os. Moi seule ai ce droit. J'effleurerai doucement, avec ma main, son squelette sensible sous la peau nue, tendue. J'adoucirai toutes ses douleurs. Je mettrai mes doigts, tel un baume, dans la blessure de son cœur. Ce coup que lui a porté un soldat allemand. Je recoudrai la blessure de son cœur avec mes doigts. Je prendrai sur moi tout son mal. Sa soif atroce me brûle déjà. Je me priverai de boire. Je porterai le cilice et le bracelet à pointes. Je serai obéissante jusqu'à la mort. Pourvu qu'il vive, lui ! Qu'il traverse indemne le feu de la guerre. Je veux qu'il vive ! Sans mal et sans blessure. Je veux qu'il soit vivant comme personne n'a jamais été vivant dans le monde des vivants. Eviter de dormir. Ne plus boire. Ne plus manger. Me substituer à lui dans toutes les épreuves de la guerre. Avoir froid à sa place. Avoir peur. Recevoir les balles et les coups qui lui sont destinés. Etre prisonnière à sa place. Déjà depuis trois ans, ma liberté pourrit sur pied dans ce couvent. Pour lui ! Lui, lui seul ! Mon frère bien-aimé !

Elle court légèrement vers son confesseur, l'âme apaisée. Sans aucune trace de cette extase amoureuse, au cours de laquelle elle a, une fois de plus, substitué son frère Joseph à Dieu.

— Je me confesse à Dieu tout-puissant et à vous, mon père. Ça fait une semaine que je suis allée à confesse. J'ai reçu l'absolution et j'ai fait ma pénitence.

Longtemps les semelles usées de sœur Julie demeurent visibles au bas du petit rideau violet du confessionnal.

L'abbé Migneault explique à sœur Julie qu'elle ment tout le temps, sans le savoir. Sa nature la plus profonde est menteuse, faussée en quelque sorte. Cela explique très bien ses prétendues révélations et visions, et les maux imaginaires dont elle souffre. En disant cela, l'abbé

Migneault semble fatigué, écrasé sous le poids des péchés du couvent et du monde entier. Il penche la tête, d'un geste très las, contre la grille qui le sépare de sœur Julie. Un instant, le front moite du père Migneault touche la joue de sœur Julie.

— Je vous délie de vos péchés, au nom du Père, du Fils et du Saint-Esprit. Pour votre pénitence vous direz dix *Pater* et dix *Ave*, à genoux, les bras en croix. Allez en paix et priez Dieu qu'il vous délivre de toute imposture !

La petite chapelle blanche et dorée.

Que je forme une croix, bien droite, avec tout mon corps endolori ! Que pas une jointure ne flanche et ne craque ! Dieu lui-même ne peut m'en demander davantage. Réduite à ma forme de croix, concentrée sur l'effort physique de durer en croix, je n'ai plus le loisir de penser à moi-même, ni au monde, ni à Dieu, ni à mon frère Joseph. Personne. Rien. Mon corps seul persiste. Une comptabilité stricte s'est installée dans ma tête. Bien compter les *Pater* et les *Ave*. Surtout ne pas baisser les bras. Regarder, bien droit devant moi, la lampe du sanctuaire, signe de la présence réelle de Dieu dans le tabernacle. C'est comme si je regardais Dieu en face, sans cligner des yeux, et que je ne trouvais rien à lui dire. Tant ma pauvreté est absolue, mon dénuement complet. Toutes mes forces ramassées en un seul point. Rester en croix le temps prescrit. Peut-être Dieu me fait-il face de la même manière, caché dans le tabernacle, dans le silence de sa croix à lui, au moment le plus entier de sa solitude et de son abandon.

Une trop longue absence. Plus le Christ demeure le Seul et l'Abandonné, invisible derrière un rideau de pourpre, plus la mélancolie profonde de sœur Julie augmente et le sentiment de l'inutilité de son sacrifice. Et plus sœur Julie est triste et déprimée, plus elle devient susceptible d'accueillir la consolation magique qui lui vient de la cabane et de toute la montagne de B...

Elle commence par ne plus sentir la tension douloureuse de ses deux bras en croix. L'épuisement de son corps crucifié se transforme en une douceur étrange. Muscles, nerfs, articulations se détendent. Le cœur bat au ralenti, pareil à celui d'un dormeur. Sœur Julie ne tient plus à la vie que par l'acuité prodigieuse de tous ses sens décuplés.

Elle entend clairement, malgré la distance, palpiter la flamme dans la lampe du sanctuaire. Cette musique secrète qui lui est révélée la remplit de joie. Mais son allégresse n'a plus de bornes lorsqu'elle perçoit, avec ses yeux, ses mains, son oreille, sa bouche entrouverte, toute sa peau sensible à l'extrême, comme si elle était nue, passer un vent très fort, semblable à un courant d'air brusque, venant de l'autre bout de la chapelle, du côté de la porte d'entrée. Tandis que la vieille sœur qui prie, appuyée contre un pilier, à deux pas de sœur Julie, ne semble s'apercevoir de rien.

La violence du vent diminue en approchant de l'autel, s'achève en un murmure, comme une respiration humaine, et souffle d'un seul coup la lampe du sanctuaire.

Sœur Julie de la Trinité est transportée en esprit dans la montagne, tandis que son corps reste, debout en croix, tel un calvaire de pierre. Dans la chapelle blanche et dorée des dames du Précieux-Sang.

Une femme habillée en rose, portant sur la tête un chapeau de paille bleue, garni d'une fleur et d'un oiseau, grimpe allégrement le raidillon de sable et de cailloux qui mène à la cabane. Elle tient, à bout de bras, deux énormes valises de carton jaune. Elle respire vite et sourit de toutes ses dents.

Cette respiration, ce sourire comblent d'aise sœur Julie qui pourrait, en avançant la main, toucher la bouche et les dents de la femme, goûter le souffle salé de sa vie.

Sœur Julie sait que la femme revient de la ville, après un séjour chez Georgiana. Elle sait aussi que l'homme là-haut attend la femme, sur le seuil de la cabane.

Les deux enfants, assis dans le sable, font semblant de jouer. En réalité, ils espèrent, de tout leur cœur, la scène entre le père et la mère, la réconciliation et l'ouverture des valises pleines de cadeaux.

Mais, plus encore que les cadeaux, ce que les enfants désirent, c'est la cérémonie de l'eau.

Tout bas, comme une prière furieuse, le père dit à la mère :

— Va-t'en, cochonne, salope, je ne veux plus de ta cochonne de peau dans ma maison.

Le père se tient dans la porte de la cabane pour bloquer tout passage.

La mère rit toujours, mais n'ose pas avancer. Elle a déposé les valises à terre. Elle sait bien ce qui l'attend. Les deux bras ballants, elle regarde le père. Patiente et immobile, elle accepte sa punition sans cesser de sourire.

Les petits yeux de l'homme brillent. Il y a entre l'homme et la femme une telle égalité de malice et de plaisir, qu'on ne peut s'empêcher de croire que la justice et l'amour seront rendus à chacun, selon ses œuvres, de façon éclatante et absolue.

Après avoir placé la mère contre le mur de la cabane, à côté du tonneau plein d'eau de pluie, le père entreprend aussitôt de la laver, par-dessus ses vêtements neufs. Il lui verse quantité de seaux d'eau et de boue, joyeusement, sur la tête et sur tout le corps.

En un instant, la robe et le linge collent au corps de la femme comme des algues visqueuses. Sa permanente, teinte en jaune, s'affaisse. Des mèches tire-bouchonnées dégoulinent sur son visage et dans son cou. Elle crie que tout son butin neuf va être gaspillé. Elle grelotte. Elle pleure à petits coups, tousse, à moitié étouffée.

L'homme court chercher la courtepointe sur le grand lit de fer. Il enveloppe sa femme, lui essuie la figure, la tête et les pieds avec son mouchoir. Il l'embrasse tendrement sur le derrière et la prend dans ses bras, toute mouillée, roulée dans la courtepointe. Il se précipite dans la cabane avec son fardeau qui glousse déjà à travers ses larmes.

Les enfants s'approchent des valises et font l'inventaire des cadeaux rapportés de la ville par leur mère.

Les parents ne reparurent qu'au bout de trois jours. Ils s'étirèrent et bâillèrent sur le seuil de la porte. Au grand soleil. Ils avaient très faim. Avec leurs dents blanches et leurs bouches meurtries, on aurait pu les prendre pour deux ogres.

La procession des religieuses, aux yeux baissés, aux pas feutrés, s'est mise en marche par les corridors et les escaliers.

Sœur Gemma, qui est sacristine, s'affaire pour préparer l'autel et la messe.

Sœur Julie, toujours à genoux, les bras en croix, termine les *Pater* et les *Ave* de sa pénitence sans aucune trace de fatigue, sauf un très léger fléchissement des bras. Sur sa face pâle, une vague lueur malfaisante.

Sœur Gemma est saisie de crainte. La lampe du sanctuaire, quoique pleine d'huile, s'est éteinte. Pas le moindre souffle d'air pourtant dans le couvent hermétiquement fermé.

Du côté de la rue, la surface grise et rugueuse de la pierre. Des barreaux aux fenêtres. La lourde porte de bois plein s'ouvre et se referme solennelle et lente. Ce n'est pas que cette porte grince sur ses gonds bien huilés, mais elle fait entendre un son de bois massif, étouffé, interminable, se répercutant en écho, pour peu qu'on y touche. Du côté de la cuisine, une porte basse donne sur la cour. Il y a bien une ouverture étroite pratiquée dans le mur de la cour, tout près de la cuisine, mais cette porte peinte en gris est toujours fermée à clef. La sœur cuisinière conserve la clef, tout le jour, dans un petit anneau passé à sa ceinture. Le soir, notre Sainte Règle lui commande de remettre la clef à la mère supérieure, ainsi que celle de la cave aux légumes, de la chambre froide et de toutes les armoires de cuisine.

Chaque année nous apporte sa cargaison fraîche de

postulantes triées sur le volet. Une fille, deux filles, parfois trois sont prélevées par famille. Les apports de la ville ne sont pas négligeables. Mais la plupart de nos religieuses viennent de la campagne.

Le temps, goutte à goutte, coule sur nous comme sur un mur nu où l'obéissance nous ordonne de dessiner à traits précis la Passion du Sauveur. Rien n'y manque. Ni les clous, ni les fouets, ni la couronne d'épines, ni le coup de lance, ni la parfaite complicité qui nous fait à la fois victimes et bourreaux.

Asperges me Domine...

Vous m'aspergerez avec de l'hysope et je serai plus blanc que la neige.

Le mouvement et la voix nous sont rendus. Coups de claquoir. Debout. Assises. A genoux. Génuflexion. Un grand signe de croix. Une petite croix sur le front, la bouche et la poitrine. Inclinons la tête. Relevons la tête. Ballet solennel de la messe. Les ornements verts, brodés d'or, du célébrant brillent dans un rayon de soleil.

Dominus vobiscum.

Je suis distraite comme quelqu'un qui suit deux conversations à la fois. J'entends les paroles de la messe. Je chante les paroles de la messe. J'accomplis tous les mouvements prescrits, en parfaite synchronisation avec mes sœurs. Et pourtant, je sens très bien rôder autour de moi l'homme et la femme de la montagne. L'air se raréfie dans toute la chapelle, comme pompé par des créatures extravagantes. L'homme s'appelle Adélard et la femme Philomène, dite la Goglue. Je sais qu'ils sont là. Ils se promènent dans les allées, se poussant l'un l'autre, se couchant de tout leur long sur les bancs restés vides.

Les voici maintenant installés sur l'autel, tout près du tabernacle. Je vois leurs yeux luisants, pareils à de petites lampes noires. L'atmosphère devient irrespirable. J'étouffe. Ils sont si près de moi que je pourrais les toucher. Leur souffle énorme emplit toute la chapelle. Je m'étonne que nos sœurs, privées d'air, ne s'évanouissent pas, rangée après rangée, comme un pré de cornettes que l'on fauche.

A mesure que l'air s'épaissit, quelqu'un s'approche de moi et devient visible à mesure, solide et palpable, Philomène. Ses seins rebondis, sa croupe splendide, sa tête jaune réjouie, tenue haute, sa robe rose. Un homme hilare tient un dais d'église, d'une seule main levée, au-dessus de la tête de la femme. Je les entends rire tous les deux. Je voudrais me boucher les oreilles et me fermer les yeux, laisser Philomène et Adélard disparaître.

Je continue pourtant de regarder et d'entendre. Je ne puis m'en empêcher. Ce qui m'étonne le plus, c'est l'indifférence de nos sœurs et du célébrant. Ils ne semblent pas se rendre compte de tout ce qui se passe ? Moi seule suis voyante et tirée hors de mon corps avec violence.

Les deux enfants, nus et crasseux, sont restés à l'écart, près de la porte d'entrée, appuyés au bénitier.

Ils trottinent maintenant dans l'allée. Ils passent tout près de moi, se tenant par la main. Ils me font des signes d'amitié. La petite fille se penche vers moi. Son œil jaune en vrille me gêne comme un miroir. Sa voix aigrelette.

— Tu devrais avoir honte. Tu me ressembles comme une goutte d'eau. Tu es moi et je suis toi. Et tu fais semblant d'être une bonne sœur !

Je pourrais très bien tirer par le bras la petite fille qui me nargue et l'emmener de force au confessionnal. Qu'elle dise tous ses péchés au père Migneault ! Du même coup, je serais délivrée, absoute, blanche comme neige, sans enfance et sans avenir. La vie du couvent se refermerait autour de moi, pareille à l'eau morte d'un étang.

Peut-être ai-je trop peur de me noyer dans un étang ? Et puis la petite fille me fait des signes si engageants de la suivre, jusque sur l'autel, là où le père et la mère manigancent quelque secret connu d'eux seuls. Ils croquent des hosties comme des biscuits au soda. Tandis que nos sœurs psalmodient de leurs voix suaves et fraîches :

Mea culpa, mea maxima culpa.

— Qu'est-ce que tu fais cuire là, ma femme ? On sent une odeur épouvantable. Est-ce parce que nous avons des invités ?

— Tu n'aimes pas les odeurs de campagne, mon mari ?

Philomène, sous l'œil réjoui d'Adélard, vient d'ajouter du guano frais au mélange qui cuit dans une marmite sur le poêle. La cuiller à la main, elle se retourne vers Adélard. Tous deux rient si fort que la terre autour de la cabane semble vouloir se fendre et se soulever en tourbillons de poussière.

Dans la cave, c'est un parfum d'alcool chaud qui accueille Adélard. Ivre, rien qu'à l'odeur, il s'affaire et prépare la bagosse pour la fête.

Une à une, avec un bruit régulier de métronome, les gouttes de liquide s'échappent de l'alambic et retombent dans un pot de fer-blanc.

Quand le pot est plein, Adélard le vide dans une des cruches de verre préparées à cet effet. Il enferme soigneusement dans la cruche l'ivresse pure, l'âme et l'esprit de la boisson. Tandis que Philomène récupère l'écume épaisse et l'âcre amertume qui se sont formées à la surface du baquet. Tout ce qui n'est pas passé dans l'alambic et n'a pas été distillé est ramassé à pleines mains par la femme. Elle broie, réduit, brasse, amalgame le résidu dans sa marmite sur le feu, là où achève de mijoter un onguent lisse et gras fait d'herbes bizarres, de champignons rares et de débris obscurs.

— La plupart des genses ont un besoin effrayant de fête ! dit Adélard.

— Les invitations seront « criées » sur le volet ! dit Philomène.

Elle se méfie des habitants du village, là-bas, dans un creux, au bord de la rivière, blottis autour de l'église et de son curé, comme un banc de poissons peureux. Parmi ceux-là, seuls seront admis à la fête les quelques fidèles complices et sûrs qui régulièrement quittent le village, à la nuit tombée, et gravissent le raidillon menant à la cabane, en quête de quelques gallons d'alcool. Pour ce qui est des autres, il faudra les gagner peu à peu, continuer de les soigner et de les guérir, et, de temps en temps, les séduire par quelques prodiges, au sujet du temps et des éléments, avant d'oser les inviter au sabbat.

Les meilleurs convives, les plus avides de fête, gens de désir et de privation, ayant croupi dans l'humiliation du chômage, viennent de la ville. Philomène les a repérés lors de son dernier séjour à Québec, chez Georgiana.

Les vieilles Ford, récupérées au cimetière des voitures, se sont déjà mises en marche, roses de papier piquées dans des flûtes de verre, stores baissés pour se protéger de l'éclat des phares de la voiture qui suit. Nuage de poussière. Quelqu'un se plaint du sable entre ses dents, comme s'il mangeait des épinards. Une rumeur de grillons accompagne le cortège des voitures, de chaque côté de la route de la montagne de B...

Il s'agit de bien dissimuler les voitures avant d'arriver à la cabane, de les garer le plus loin possible, sur des pistes perdues, parmi les broussailles.

La cabane ne peut contenir tant de monde à la fois. Les invités débordent jusqu'au-dehors, parmi les maringouins et le chant des grenouilles.

Une femme chuchote la dernière nouvelle avec une sorte d'indignation mêlée de frayeur mystique :

— La danse est interdite par le cardinal dans tout le diocèse de Québec !

Philomène prétend qu'elle a entendu le krach de New York, il y a quelque temps. Un craquement sinistre. Un déchirement plutôt, comme celui de cent draps de toile, fendus d'un seul coup, dans toute leur longueur. Un écroulement de gratte-ciel dans le fleuve Hudson.

— Ça m'a fait grincer des dents ! Un bruit effrayant !

Un homme lit un journal tout haut, en détachant chaque syllabe :

12 juin 1930. Jamais on n'a connu autant de marasme et de chômage. Mannion a déclaré... — Il paraît que dans certaines tavernes on troque un billet de tramway contre un verre de bière. — Montréal dispose de $ 400 000 000 pour offrir le gîte, le boire et le manger aux malheureux. — Le refuge Meurling est ouvert.

Un homme parle du retour à la terre. Une femme pleure et dit que le retour à la terre, c'est être couché dessous, avec six pieds de terre par-dessus.

Philomène regarde son fils et sa fille. Elle déclare dans un rire de gorge :

— Ceci est ma chair, ceci est mon sang !

Tout le monde rit, la bouche exagérément ouverte.

Les enfants craignent d'être mangés et bus, changés en pain et en boisson, dans un monde où la nourriture est rare, les chômeurs voraces et le pouvoir de Philomène et d'Adélard plus extraordinaire que celui des prêtres à la messe.

Philomène assure qu'il y aura à boire et à manger pour tous.

— Bienheureux ceux qui ont faim et soif, car ils seront rassasiés.

Déjà les hommes ont commencé de boire à même la cruche que leur tend Adélard. Ils s'étouffent, crachant et s'éclaboussant. Les femmes s'y mettent aussi, se passent de l'une à l'autre un gobelet de fer-blanc. On les entend dire que ça brûle comme du feu.

> *Dominus vobiscum*
> *Et cum spiritu tuo*
> *Sursum corda*
> *Oremus.*

Dans la chapelle, sœur Julie, extatique et blanche, semble dormir sur son banc. Alors qu'en réalité elle a déjà commencé de descendre au fond du ravin, en pleine forêt.

Inutile d'essayer de se retenir aux touffes d'herbes ou aux rares arbustes sans racines qui nous restent dans la main, avec un nuage de sable et de mottes sèches. Le mieux serait de se laisser glisser jusqu'au fond, sans s'accrocher à rien.

Pleine lune.

Le fond du ravin a été déboisé et essouché. Seuls quelques sapins et mélèzes persistent.

Les trois cercles magiques sont indiqués avec des pierres, bien serrées les unes sur les autres. Le premier cercle fait le tour du ravin. Le second, plus petit, se rapproche du centre, à environ cinq pieds du premier. Le troisième entoure les grosses pierres empilées en forme d'autel bas, là où dorment des couleuvres à têtes cuivrées.

Adélard et Philomène se tiennent près de l'autel. Le petit garçon et la petite fille à leurs pieds, en guise de servants de chœur. Les invités s'assoient en rond sur les pierres.

Munda cor meum, ac labia mea, omnipotens Deus qui labia Isaiae prophetae calculo mundasti ignito.

Les sœurs du Précieux-Sang se signent pieusement. Sur le front, la bouche et le cœur.

La bagosse brûle dans le gosier, plus que le charbon ardent d'Isaïe. Les invités, ayant enlevé tous leurs vêtements, offrent leurs corps blafards aux onctions de Philomène.

— Je m'en vas ben vous graisser avec ma drogue comme des petits poissons dans la poêle.

La lune haute éclaire jusqu'au plus creux du ravin et fait des taches blanches, comme si on avait jeté de la chaux par terre. Ceux qui sont touchés de face par les rayons de la lune savent-ils qu'on n'expose pas impunément son visage aux sources blanches de la nuit ?

Le lent défilé des corps nus s'avance vers l'autel et les mains saintes et sans pudeur de Philomène. Adélard offre l'onguent dans un plat creux.

Philomène frotte, masse et graisse toute peau, jeune ou vieille, qui se présente à elle. Elle impose ses mains par tout le corps avec une douceur insinuante qui, plus que l'onguent, pénètre en nous et délivre l'esprit captif, le rend léger et capable de voyages hors du monde.

— Vous serez hallucinés de la tête aux pieds !

assure Philomène qui n'oublie pas d'oindre la peau la plus fine et la plus sensible à la pénétration de la drogue : aisselles, aine, creux poplités du genou.

Philomène se lave les mains dans la cuvette pleine d'eau que lui tendent le petit garçon et la petite fille.

Sœur Julie n'a jamais éprouvé moins de distance entre elle et la petite fille.

Toute frontière abolie, voici que je retrouve mon enfance. Aucune résistance. Je m'ajuste à sa chair et à ses os. Je me réchauffe à la source de ma vie perdue, pareille à une chatte ronronnante s'installant près du feu.

Lavabo inter innocentes manus meas et circumdabo altare tuum, Domine.

Les religieuses peuvent bien écouter le célébrant en silence. C'est moi, sœur Julie de la Trinité, qui tiens la cuvette avec Joseph, mon frère.

Les mains graisseuses de Philomène se baignent longuement. La surface de l'eau se couvre de filaments huileux, violets, marrons et bleus, qui flottent, bougent et se tordent.

Je lève les yeux vers le visage blanc de lune de Philomène. Je regarde aussi Adélard, tout resplendissant de lumière nocturne. Je crois que mes parents adorent la lune et les rayons de la lune passant à travers eux pour illuminer la nuit.

Par terre, des amas de vêtements, pitoyables ou grotesques. Corsets, ceintures de cuir et d'étoffe, cravates bigarrées, robes de femme et pantalons d'homme, chaussettes, culottes et soutiens-gorge.

Hommes et femmes échevelés, luisants de sueur et de graisse, dansent maintenant autour de l'autel, la face tournée vers l'extérieur de la ronde. On entend une musique nasillarde. Un adolescent hâve et maigre fait tourner un vieux phonographe posé sur ses cuisses.

La ronde se défait, se disloque, se transforme peu à peu, à mesure que les rires montent de tous côtés. On danse deux à deux, bravant les édits du diocèse.

La musique devient stridente, se désaccorde de plus en plus, détonne, aigre et déchirante. L'adolescent, paupières fermées, bouche cousue, semble faire sortir de son ventre nu des cris et des gémissements qui se mêlent au blues du phono.

Soudain, la musique ralentit, baisse de plusieurs tons, s'enroue, s'étouffe tout à fait dans un couac caverneux.

C'est en silence que se forme le cortège pour l'hommage à Philomène. Le crissement des criquets redevient sonore au-dessus de nos têtes. Des appels de rapaces nocturnes se font entendre dans le lointain.

On a allumé de grands feux de bois vert près des pierres empilées. Le vent rabat la fumée en volutes jusque sur l'autel où se couche Philomène.

Adélard s'est attaché deux cornes de vache sur le front et une couronne de feuilles vertes. Il tient un parasol de papier multicolore au-dessus du corps de sa femme allongée sur le ventre.

Le parasol fermé dans un bruit sec, tout le monde se fige, dans l'attente d'un monde nouveau plus excitant et salé que ce monde de misères et de mort dans lequel nous vivons.

Philomène bouge sur les pierres. Elle cache sa tête dans ses bras. D'un coup de reins, elle relève sa croupe et s'offre à l'hommage de ses sujets.

Chacun défile à son tour et embrasse le derrière doux, légèrement fumé, de Philomène.

Sanctus, sanctus, sanctus
Pleni sunt coeli et terra
Gloria tua,

chantent les bonnes sœurs, escamotant le nom de Dieu sans s'en rendre compte, guidées par la toute petite voix somnambulique et toute-puissante de sœur Julie de la Trinité.

Un hibou vole dans le ravin, au-dessus de l'autel. On devine le froissement de ses ailes admirables. Puis il reprend son vol, tout droit vers la lune.

La fumée fait un couvercle au-dessus du ravin. Hommes et femmes sont lourds de visions.

L'étudiant maigre a mis un autre disque sur son phono. Il tourne la manivelle avec peine. L'adolescent voit un tourbillon de fils colorés s'organisant et se déployant au creux de sa main pourtant fermée mais devenue transparente, pareille à un jelly-fish. Les sons sont visibles, avant même que l'aiguille ne se soit posée sur le premier sillon du disque. Lorsque la musique, tout à fait mûre et parfaitement achevée, commence de dérouler son long fil sonore, le garçon, accablé de génie, ruisselle de larmes. Son ventre creux résonne comme un tambour, mille trompettes et saxos poignent et tordent son corps souffreteux, lui font une verge dure et des mains d'archange tout le temps que dure le blues.

Le regard de Pierrette se fixe sur l'écorce d'un arbre. Elle ne détourne plus les yeux tant la contemplation de l'écorce est satisfaisante et inépuisable. Le rapport qui existe entre la musique et l'écorce lui est révélé et la comble de bonheur. Depuis l'âge de quinze ans, Pierrette travaille à la manufacture. Elle coud des valises de cuir. La poussière du cuir couvre ses vêtements, s'insinue dans ses oreilles, son nez, sa bouche, ses yeux, sur toute sa peau blanche. Elle n'en finit plus de se laver et de se parfumer. Et voici que ce soir, au fond du ravin, l'œil du patron est là sur l'arbre qui regarde Pierrette. Suit bientôt la figure entière du patron qui se couvre d'écailles

40

vert-de-gris. La bouche de l'homme devient minuscule et se fige, comme un nœud de bois dessiné sur l'arbre. Les pires menaces sont dites dans un souffle de douceur étonnante :

— A la rue, Pierrette ! Renvoyée ! chômeuse comme tout le monde !

Pierrette voit la tête et le corps de son patron se changer peu à peu irrémédiablement en arbre. Maintenant qu'il a pris racine, cet homme est devenu complètement inoffensif et ridicule. Pierrette a toute l'éternité devant elle pour se moquer de son patron, enraciné au creux d'un ravin, dans la montagne de B..., les pieds mangés par les fourmis, la tête brûlée par la fiente des corneilles. Pierrette rit sans fin. Une volée de cloches déferle dans sa gorge. L'étudiant maigre hurle que le rêve et la religion, c'est l'opium du peuple ! Laissant là, sur une pierre, son phono qui continue d'égrener sa voix grêle, le jeune homme roule doucement sur le sable en direction du rire de Pierrette. Le jeune homme se penche sur la jeune fille toute barbouillée d'onguent magique. Il caresse les seins de Pierrette. Et voilà que Pierrette exulte maintenant de la tête aux pieds. Le jeune homme se couche sur le corps de Pierrette.

Il s'agit de ne pas sombrer complètement dans un sommeil agité de rêves. En ce moment même, la scène capitale se joue sur l'autel environné de fumée. Philomène, à quatre pattes sur les pierres empilées, forme un second autel posé sur le premier. C'est sur les reins de Philomène qu'Adélard attache solidement avec des courroies le cochon de lait acheté ce matin au village. Le petit cochon crie tout de suite comme si son supplice était déjà commencé. Les enfants du sabbat se tiennent au bas de l'autel avec de grandes bassines pour recueillir le sang.

Adélard lève très haut son couteau. La lame brille un instant au-dessus de la tête cornue et feuillue du père. Tout nu et velu, immense, il n'a jamais semblé plus terrible ni plus majestueux. Le couteau se plante dans la gorge de l'animal avec un bruit sourd. Philomène frémit sous le choc, comme si elle allait s'écrouler. On pourrait croire qu'Adélard veut sacrifier Philomène avec le petit cochon.

Philomène tient bon. Les cris de la bête lentement égorgée lui crèvent le tympan. La mère est inondée de sang chaud qui gicle sur son dos, sur sa face.

Julie tremble. Plus que le sang qui tombe dans la bassine en lui éclaboussant les doigts, ce qui la terrifie le plus, c'est la joie sur le visage du père. Il rayonne de contentement et d'aisance. Sa main fermement maintient le couteau dans la blessure. L'ordre du monde est inversé. La beauté la plus absolue règne sur le geste atroce.

Un homme dans l'assistance hurle. Il tend le bras en direction de l'autel. Il assure qu'il y a là un grand serpent avec une couronne sur la tête qui se prépare à dévorer deux petits lapins blanc et noir, mâle et femelle, blottis au pied de l'autel. (Peut-être s'agit-il d'une couleuvre éveillée par la chaleur du feu ?) L'homme est très excité. Il raconte ce qu'il est seul à voir, avec force détails et précisions. Le serpent dévore ses victimes fascinées l'une après l'autre, selon un plan bien établi. Tout d'abord les parties génitales, puis le cœur et la cervelle.

Une femme rit, tout son corps flasque secoué de convulsions, comme si elle sanglotait. On entend à peine ce qu'elle dit. Il est question de famille nombreuse, d'enfants trop gros qu'il faut mettre au monde dans des douleurs épouvantables.

— C'est comme si on chiait des briques, mesdames et messieurs.

Subitement calmée par cette confidence, la femme murmure dans une grande douceur :

— Philomène m'a promis de me les faire sortir du ventre, les petits maudits, quand ils sont encore pas plus gros qu'un oignon et doux comme un bouton de rose.

La femme, assise par terre, écarte les jambes. Penche la tête entre ses cuisses molles, semble surveiller la venue au monde de toute une tendre floraison promise aux mains expertes de Philomène.

Sur l'autel, Philomène gémit, halète, crie, en parfaite symbiose avec le petit cochon égorgé, attaché sur son dos. La source du sang diminue, se tarit peu à peu. Les cris s'affaiblissent. Un dernier spasme. Le silence tombe avec la mort, emplit tout le ravin et s'engouffre dans nos os.

Adélard détache l'animal immolé sur le dos de Philomène. Les gestes d'Adélard sont excessivement lents et mesurés.

Un bon moment, Philomène gît à plat ventre sur l'autel, gluante de sang. Morte.

Puis elle se relève d'un bond et se frotte les reins et les bras. Elle trempe ses mains dans les bassines de sang que lui tendent les enfants, offre à boire à toute l'assemblée à même ses deux paumes aux doigts joints.

> *Hic est enim calix sanguinis mei,*
> *novi et aeterni testamenti*
> *mysterium fidei,*

psalmodie le célébrant à chasuble verte, brodée d'or. Les cornettes blanches s'inclinent à l'unisson, sauf une d'entre elles qui a l'air de dormir, toute droite. Dessous sa cornette, la face éblouie de sœur Julie de la Trinité rit aux anges.

Tandis qu'Adélard écorche, éventre, étripe le cochon de lait pour le faire cuire.

> *Hoc est enim corpus meum.*

Il se produit une grande confusion dans la chapelle du couvent. L'ordre des paroles de la consécration a été inversé.

La fraîcheur du silence persiste et nous picote le bout des doigts. Tandis que le phono, remis en marche, tire lentement sa musique d'une bobine de neige en longs fils de glace, malgré la chaude nuit d'été.

La fumée s'épaissit. Le couvercle est complètement tiré au-dessus de nos têtes. Nous voici enfermés dans ce ravin, dans l'intimité de la terre. Expérience profonde que nous n'aurons plus à envier aux défunts. En pleine possession de nos privilèges de vivants, nous pénétrons le domaine des morts et le lieu sacré de leur refuge. Ce froid dans nos veines et cette odeur poignante de la terre dans nos bouches. Nous absorbons, avec une facilité étonnante, la nuit des morts, leur froid excessif, toutes ténèbres, terreur et horreur cachées. Elevés à une très haute puissance, tous tant que nous sommes, la vie et la mort n'ont plus aucun secret ni tourment pour nous.

Les jarres de fèves au lard cuisent sur la braise enfouie dans la terre. Le blé d'Inde sucré bout à plein chaudron. Tandis que le petit cochon de lait tourné et retourné sur sa broche, au-dessus du feu, brille, se colore de reflets, dore et perd son suif, goutte à goutte, au fond de la lèchefrite.

Cette nuit-là, grâce à l'onguent de Philomène et à l'argent rapporté par elle de chez Georgiana, les chômeurs amis connurent le banquet et la fête de leur vie. Ils communièrent sous les deux espèces, rendirent hommage à la sorcière, dansèrent et forniquèrent jusqu'à l'aube. Adélard et Philomène, le corps barbouillé de sang séché et de fumée, allaient de l'un à l'autre avec des bonds sauvages et des cris aigus, réveillant les dormeurs, les excitant, pour s'accoupler avec eux, intervenant à point pour se glisser, pareils à des apparitions, au plus creux des songes déjà commencés.

Très tôt les enfants s'étaient endormis, près du feu, d'un sommeil naturel, n'ayant pas été frottés d'onguent magique et n'ayant pas bu de bagosse.

Au plus profond de son premier sommeil, la petite fille fut réveillée par quelqu'un qui la poussait du pied, assez rudement, dans le dos et sur les jambes. Une grande ombre d'homme cornu était là debout devant elle, le visage plein de suie, la poitrine noire soulevée par une respiration oppressée. Le bas du visage était caché par une sorte d'étoffe noire, luisante. La voix lointaine, contrefaite, résonnait derrière le bandeau, comme au fond d'une caverne.

L'homme dit tout d'abord à la petite fille qu'il la tuerait si elle criait. Il avait un couteau attaché par une ficelle autour du cou. L'homme ajouta qu'il était le diable et qu'il fallait qu'il prenne la petite fille. Il lui fit jurer de ne jamais aller à l'église du village se confesser, de ne jamais dire de prière ni de se servir d'eau bénite. Puis il mordit la petite fille très fort à l'épaule, afin de la marquer à jamais comme sa possession. Sa peau était visqueuse et sentait mauvais. Il prit dans sa main son sexe tout gonflé et le mit de force dans le petit sexe de la fillette qui hurla de douleur. Le diable, de ses mains velues, étouffa les cris de la petite fille. Il lui promit, d'une voix à peine audible, de lui accorder tout ce qu'elle voudrait. Comme la petite fille saignait beaucoup, le diable, en la quittant, lui dit que c'était le sang du petit cochon égorgé qui lui coulait entre les cuisses et non son propre sang.

C'est à ce moment que sœur Julie de la Trinité (ayant assisté à tout le sabbat) releva son voile et se fit reconnaître du diable.

— Tu me reconnais, vieux maudit ? C'est moi, Julie, ta fille.

Elle lui demanda deux faveurs, au nom de la petite fille violée.

1. Que sœur Gemma, confite dans sa joie mielleuse, soit confondue et ruisselle de larmes, une bonne fois pour toutes. 2. Que le père aumônier découvre, d'une façon irrémédiable, sa parfaite nullité, devant toute la communauté.

Les invités, épuisés, frissonnants, comme plongés dans la neige, minés par les apparitions qui, dans leurs veines, lâchaient leurs cohortes d'anges et de monstres, sombrèrent tout à fait, sur l'amas froissé de leurs vêtements. Ils dormirent ainsi durant plusieurs jours, transportés hors du monde. Quoiqu'on pût très bien apercevoir leurs corps abandonnés, en se penchant, au-dessus du ravin, dans la montagne de B...

Ite missa est.

Privée de la sainte communion, comme la plupart de ses compagnes (le nombre d'hosties ayant diminué mystérieusement ce matin-là), sœur Julie n'éprouve ni manque ni étonnement. Elle est punie pour avoir dormi pendant la messe, condamnée à brosser et à laver, à genoux, le long corridor dallé qui mène à la chapelle.

Sœur Gemma, pressée de questions, houspillée par mère Marie-Clotilde, se défend, pleure, s'obstine, fait serment, sur la croix pendue à son cou, qu'elle a elle-même compté les hosties, avant la messe, et que le nombre requis y était pour la communion de toute la communauté.

Sœur Gemma est destituée de ses fonctions de sacristine. Mère Marie-Clotilde prétend que l'âme de sœur Gemma est devenue aussi sale que ses claques, à l'époque de la slush, au printemps.

Sœur Gemma est nommée cuisinière.

— Moi, la cuisine, c'est ce que j'aime le moins au monde !

Quelle déclaration imprudente, ma sœur ! Un jour, comme ça, en récréation, dans un éclat de rire. Vous n'aviez qu'à tenir votre langue. Ceci n'est pas tombé dans l'oreille d'une sourde. Ici, rien ne s'échappe. Les murs de ce couvent ont une mémoire d'éléphant. Tout peut se retourner contre vous, en temps voulu pour l'épreuve.

Une plume d'oiseau dans un corps diaphane. Telle était l'âme de sœur Gemma, du temps qu'elle était sacristine. Rien ne semblait peser sur elle. Aucune peine, misère ou faute, ni même le péché originel. Sœur Gemma jouissait de son innocence avec une impudeur enfantine. Elle se tenait près de l'autel et des vases sacrés, pareille à un ange joyeux. La vie était douce et blanche. Sœur Gemma découpait des hosties, silencieusement, quasiment en extase. Les longues feuilles minces de pain azyme, une très grande hostie pour le prêtre et d'autres plus petites pour les religieuses. Il y avait des signes sacrés, comme brodés, en filigrane, dans ce pain si blanc, presque transparent, une sorte de papier très fin. Lorsque sœur Gemma songeait que Notre-Seigneur allait habiter là, corps et âme, dans ces hosties qu'elle découpait, des larmes d'amour lui venaient aux yeux. Elle croyait entendre battre, sous ses doigts, le sang du Christ, répandu sur la croix pour nos péchés. Sœur Gemma s'offrait alors comme victime à l'Epoux céleste crucifié. Il lui semblait que Jésus-Christ acceptait son offrande et lui transperçait le cœur d'un coup de lance terrible et doux.

Les vêtements sacerdotaux remplissaient sœur Gemma de ferveur et d'admiration. Elle les soignait, les lavait, les empesait, les repassait, les reprisait, les brodait, les caressait doucement, les effleurant à peine de la main. Pour ce qui était des os brunis du bienheureux père, fondateur du couvent, tué par les Iroquois en 1649, sœur Gemma les vénérait souvent, dans le reliquaire d'argent, avec une sorte de pincement au cœur, comme avertie en songe, par un ange, de la fragilité de toute vie terrestre. Ce n'est que la mort à traverser, ma sœur. De l'autre côté de la vitre, la vraie vie, éternelle.

Retirée parmi les choses saintes, éperdue de blancheur et de transparence, sœur Gemma croyait qu'un jour elle mourrait d'amour, simplement, à l'abri de la sacristie silencieuse, dans l'odeur des cierges et de l'encens, à jamais délivrée de tout contact profane.

La voici maintenant dans la cuisine, agressée par tout ce qui salit, graisse, gicle, coule, écorche, coupe et brûle. Les mains blêmes de la sacristine pataugent dans la viande et le sang, les abats, les écailles de poisson, les plumes de poulet. Elle accumule les maladresses, récolte réprimande sur réprimande, punition sur punition. Elle renifle, de plus en plus souvent, et pleure dans son grand mouchoir d'homme, se cache pour vomir.

Derrière sœur Gemma, sœur Julie observe et guette. La moindre défaillance, la larme la plus discrète est attendue, désirée avec impatience.

Tailloir, couteau, hachette, scie à os. Sœur Gemma, penchée sur son étal de boucherie, s'ingénie à débiter un énorme quartier de bœuf, posé sur le bloc de bois. Ses manchettes blanches sont tachées de sang.

— Tout ça m'écœure ! Si je savais qu'il n'y a pas l'autre bord, moi, je fermerais boutique, tout de suite !

— Souvenez-vous des trois jeunes gens dans la fournaise. Ils louaient le Seigneur, si je me souviens bien ? Et le saint homme Job sur son fumier ?

Le couteau tombe des mains de sœur Gemma et se pique tout droit dans le linoléum de la cuisine. Elle s'agenouille, dans l'éparpillement de ses jupes, tente de dégager le couteau. Elle se relève, son couteau à la main. Elle fait face à sœur Julie.

— Un couteau planté par terre, c'est signe de visite, ma sœur. Me voilà. C'est moi, la visite. Je suis là.

— Vous êtes toujours sur mon dos, sœur Julie. Laissez-moi tranquille, je vous en prie. On dirait que vous voulez me pousser dans un trou.

Sœur Julie écarte sœur Gemma de la table. Elle taille et tranche la pièce de viande. Ses gestes sont sûrs et précis, légers et joyeux.

On aurait dit que ses mains voltigeaient, au-dessus de la table, dira plus tard sœur Gemma.

Benedicite, Domine...

Les têtes s'inclinent et se relèvent. Les mains font et refont le signe de la croix.

Les bruits de la vie éclatent, un instant, aussitôt nés, aussitôt étouffés. Bancs longs, sans dossier, que l'on tire de dessous la table. Corps fatigués qui se tassent sur les bancs. Vaisselle et couverts remués.

Silence.

Du haut de la tribune, la sœur lectrice commence à lire *recto tono*.

Sœur Gemma accourt de la cuisine et s'excuse de son retard, rabat ses manches, essuie son front, gagne sa place.

— Mon Dieu, faites que je n'aie plus la tasse ébréchée, ou je croirai que c'est un signe de rejet de votre part.

Nous sommes enfermées dans un monde de présages et d'augures. Vous l'avez votre signe, ma sœur. Pour la troisième fois consécutive. Regardez bien, à la droite de votre assiette ? La tasse de grosse faïence blanche, reconnaissable entre toutes, ses nettes ébréchures grises tout autour ? Et cette fêlure, mince comme un cheveu, qui pend de haut en bas ? Vous avez eu tort aussi de provoquer Dieu. Le silence de Dieu est parfois préférable à sa parole. Entendez-la donc cette parole dure.

De l'autre côté de la table, bien en face, sœur Julie regarde sœur Gemma avec attention, épiant sur le doux visage les premiers signes de désespoir.

Sœur Gemma pose sa main à plat sur la table pour demander du pain, sœur Julie lui passe aussitôt la corbeille. Sœur Gemma forme un rond avec le pouce et l'index, sœur Julie se précipite pour lui servir de l'eau.

S'exprimer par gestes. Tel est le règlement au réfectoire. Ne pas toucher au silence, le moins possible. Les sourds-muets ont un vocabulaire plus complexe que le nôtre. Espérer atteindre, un jour, la non-parole absolue, tendre à cette perfection.

Les petites choses prennent une importance extravagante. Rien ne se jette. Rien ne s'égare. (Ne va-t-on pas jusqu'à recueillir le gras de l'eau de vaisselle pour en faire du savon ?) Ici rien ne se perd, sauf la raison.

Vous rendrez compte à Dieu d'un bout de fil gaspillé, d'une chaussure usée, mise de côté, avant qu'elle ne soit inutilisable, d'une savonnette jetée, avant qu'elle ne devienne transparente, comme une goutte d'eau. D'ailleurs, vous n'avez rien à décider par vous-même. Votre volonté ne vous appartient plus. Le vœu d'obéissance vous dispense de toute décision, de toute initiative.

Si vous ne devenez semblables à de petits enfants, de tout petits enfants à la mamelle, vous n'entrerez pas dans le royaume des cieux. L'obéissance aveugle, les rires innocents, les douces niaiseries, les gros chagrins d'enfant grondé, les piqûres d'épingle quotidiennes, les coups de couteau, en plein cœur, le tout noyé dans un silence incomparable. Le fond de l'océan retrouvé. Maison mère. Maison matrice. La vie vient mourir ici, en longues lames assourdies, contre les marches de pierre.

Les nouvelles filtrent pourtant, les jours de parloir. On parle de la guerre, là-bas, dans les vieux pays. La France est occupée, l'Angleterre est bombardée. Un frère, un cousin ont été emportés, d'une mort étrangère, en terre étrangère, pour une guerre étrangère. Il y a eu une terrible histoire de carmélites, violées par les communistes, qui a bouleversé toute la communauté. Mais c'était en Espagne, il y a déjà plusieurs années.

La nuit, des fantômes franchissent le mur du jardin, passent à travers les lourdes portes fermées à double tour. Le Paraclet nous engrosse, à tour de rôle. Le fruit de nos entrailles est béni.

L'Ange du Seigneur a annoncé à Marie
Et elle a conçu par l'opération du Saint-Esprit
Et le Verbe s'est fait chair
Et il a habité parmi nous.

D'adorables Jésus reposent, en rêve, entre nos bras. Parfois le Saint-Esprit nous apparaît, masqué et costumé, souvent méconnaissable et inquiétant, ressemblant au garçon boulanger, à l'accordeur de piano, ou à Mgr l'évêque lui-même.

Les pères et mères viennent aussi nous visiter la nuit. Non plus avec leurs vrais petits visages de dix *cents* effacés, comme on peut les voir au parloir, timides et impressionnés, mais transfigurés, flamboyants de colère, ou rayonnants d'amour, sommaires et souverains. Sous la forme d'un ours brun. Sous l'apparence d'une vache sacrée. Réduits en nuage ou en neige éblouissante.

Nous sommes hantées, mes sœurs. A travers les rideaux blancs des cellules, fermés pour la nuit, s'échappe un vague murmure de respirations endormies. La veilleuse jette une lueur pâle sur le passage de bois bien encaustiqué. Sous les paupières fermées les globes oculaires bougent. Passent les images.

In nomine Patris.

Une voix de femme, tout d'abord voilée, monte, de plus

en plus claire et aiguë, à la limite du cri, annonce la victoire de la lumière sur les ténèbres. Des répons embrouil-
lés de sommeil surgissent, de-ci, de-là, derrière les rideaux
tirés des cellules.

*Divin Cœur de Jésus, je vous offre, par le Cœur imma-
culé de Marie, les prières et les actions, les joies et les
peines de ce jour, en réparation de nos offenses et à toutes
les intentions pour lesquelles vous vous immolez conti-
nuellement sur l'autel.*

Trois dimanches de suite, le rire de sœur Julie de la Trinité retentit dans la chapelle, au moment du sermon de l'abbé Migneault.

Le troisième dimanche, l'abbé Migneault ne termina pas son sermon. Il quitta la chaire précipitamment. Moqué au centre de son être, réduit à sa plus stricte vérité de prêcheur ridicule et d'homme très ordinaire, aumônier d'un couvent très ordinaire, l'abbé Migneault se vit tel qu'il était. Il ne put supporter cette vue et n'osa plus préparer aucun sermon.

Il en vint à craindre toute rencontre avec sœur Julie, ne parvenant jamais à baisser les yeux avant que ne l'atteigne le regard jaune et moqueur au détour d'un corridor. Le pouvoir destructeur de sœur Julie agissait sur l'aumônier, sans rencontrer aucune résistance. Il fallait que cet homme soit abaissé et reconnaisse son insignifiance totale. De cela, sœur Julie était certaine, comme quelqu'un qui a reçu une mission. Déchu, l'abbé Migneault serait déchu.

Sœur Julie oubliait de prier pour son frère qui était à la guerre.

Quant à l'abbé, il eut des insomnies, des sueurs nocturnes et des cauchemars. Rongé par des insectes, broyé par des machines de fer et d'acier, déchiqueté, émietté, traité de raté par son père et de minable par sa mère (tous deux avaient des mâchoires et des écailles de crocodile), il finit par se rendre à l'évidence : sa parfaite nullité en ce monde. Il désira si fort s'en confesser à sœur Julie pour se faire absoudre d'être si peu de chose (elle

53

seule avait ce pouvoir), qu'il la fit venir à son bureau. Il se jeta à ses pieds, lui serra les genoux dans ses mains, enfouit sa tête dans les larges plis de la jupe noire et pleura comme un enfant, dépossédé de sa propre vie.

Sœur Julie, poussée par une nécessité absolue plus forte qu'elle, caressa de ses mains rudes la tête tonsurée de l'aumônier et lui dit très doucement, presque tendrement, qu'elle ne pouvait plus rien pour lui.

— Vous n'êtes qu'un petit niaiseux. Vous n'avez toujours été qu'un tout petit niaiseux.

Le soir même, l'abbé Migneault quittait le couvent des dames du Précieux-Sang pour ne plus jamais revenir.

Pour avoir ri à la chapelle, sœur Julie fut condamnée à porter à son poignet, bien caché sous sa manche, le bracelet à pointes, tous les vendredis du mois, en souvenir de la passion de Notre-Seigneur.

Moi, Marie-Clotilde de la Croix, supérieure de ce couvent, moi-même dépendant de notre supérieure générale, qui relève de notre mère provinciale, elle-même soumise à notre mère générale, qui est à Rome, toutes femmes, tant que nous sommes, jamais prêtres, mais victimes sur l'autel, avec le Christ, encadrées, conseillées, dirigées par nos supérieurs généraux, évêques et cardinaux, jusqu'au chef suprême et mâle certifié, sous sa robe blanche : Sa Sainteté le pape, je jure et déclare que tout est en ordre dans la maison.

Nous sommes des contemplatives, tour à tour sœur converse et sœur de chœur, sans caste ni privilège. Les tâches sont distribuées selon les nécessités mystérieuses du salut et le bon fonctionnement de la maison.

Chaque religieuse, dans le dénuement de sa vie quotidienne, s'efforce de pratiquer le vœu de pauvreté. Mais, une fois réunies en conseil, face au notaire et à l'avocat, la mère supérieure, la mère assistante et la mère économe se livrent, corps et âme, au jeu de l'argent. Apport. Capital. Dividende. Achat et vente. Des terres à la campagne. Des maisons à la haute ville et à la basse ville. Les sœurs en conseil sont redoutables et regardent leurs adversaires sans ciller. Le blanc empesé des cornettes et des guimpes, l'étoffe noire, mate, des robes, les mains pâles et les visages défaits. Tout cela posé pour l'éternité. Une religieuse vivante remplaçant aussitôt la sœur morte qu'on vient d'enterrer, sans que l'adversaire s'en aperçoive, semble-t-il. Tant la ressemblance est parfaite entre les sœurs du conseil. Une brochette de petits rapaces, hiératiques et indestructibles. L'âpre passion de gagner. La certitude absolue de son droit. La bonne conscience qui rend impitoyable.

Le lavoir.

« Pour une heure de travail, une éternité de bonheur. »
Cette bonne pensée est affichée au mur du lavoir, dans
la buée des bouilloires fumantes et des cuves. Savon-
nage, brossage, rinçage, essorage. Tout le linge du
mois y passe, petit linge et gros linge. Penchées sur les
cuves, les religieuses font la lessive, sans parler, dans
un bouillonnement d'eau et un frottement de planches
à laver.

Sous le regard impassible de ses compagnes, sœur
Gemma déroule furtivement, dans l'eau savonneuse, ses
bandes maculées par le sang menstruel.

Sœur Julie se dit qu'il faudrait pourtant qu'elle lave
sa chemise de nuit. Aurai-je l'humilité nécessaire pour
redemander l'autorisation à notre mère supérieure ? Déjà,
par deux fois, pour me punir, elle m'a refusé la permission. Et, d'ailleurs, pourquoi m'en faire pour une chemise
sale ? Plus je macère dans ma crasse, plus je m'échappe
facilement du couvent, plus je mérite des compliments
ailleurs et plus je suis contente et joyeuse dans un autre
monde.

Est-ce un effet de la buée étouffante et chaude du lavoir
qui simule à merveille les bancs de brume si fréquents
dans les creux de la montagne ? L'espace mystérieux de
la montagne de B... s'ouvre à nouveau et accueille sœur
Julie de la Trinité. Une vapeur blanche, cotonneuse. Bien-
tôt·on peut voir par terre, là où il faut poser les pieds.
On a la nette impression de grimper une pente assez
raide. Le sable gris. Les cailloux qui roulent. Le petit

chemin monte à la cabane. La brume s'effiloche et se dissipe tout à fait.

Philomène est assise sur les marches de l'escalier, devant la porte. En plein midi. Ses cheveux jaunes enroulés sur des bigoudis. Sa robe rose déchirée sous les bras, ses aisselles noires, humides.

Elle tend les bras vers la petite fille qui accourt, hirsute, pouilleuse et barbouillée de mûres.

— Ma petite cochonne, ma petite salope, ma crottinette, mon enfant de nanane à moi.

Les merveilleuses paroles de la mère. La merveilleuse odeur de la mère. La petite fille se blottit dans le giron maternel. La merveilleuse robe rose, déjà fanée, salie, ses petites fleurs mauves à moitié effacées. Les grosses cuisses là-dessous, moelleuses, confortables. Béatitude.

Midi éclate partout, jaune et vert, strident. Rumeur confuse d'un angélus au loin, du côté du village. Adélard est debout dans le soleil d'été. Costume noir, verdâtre, feutre de la même couleur, chemise blanche, chaussures noires pointues, cravate noire, lèvres sanglantes, barbe rousse. Il a les bras chargés d'herbe pour les lapins. Ses yeux clignent à la lumière. Il regarde Philomène qui tient sa fille sur ses genoux. Adélard désire d'un désir égal et violent sa femme et sa fille, toutes les deux ensemble, comme une seule et même chair dont il serait le maître absolu.

Il éloigne pourtant la petite fille, d'une tape légère.

— Sacre ton camp, la Puce. Vitement.

Adélard jette sur le sable sa brassée d'herbe.

Philomène a enlevé sa robe et s'est couchée sur l'herbe des lapins. Elle pousse des petits cris émoustillés pour appeler Adélard.

La petite fille s'éloigne vers le bois. Elle entend la clameur sourde d'Adélard en réponse à l'appel de Philomène, semblable au cri du bûcheron qui abat un arbre. Suivent des claques sonores sur des fesses rebondies.

La petite fille rejoint le petit garçon, accroupi dans les ronces, se gavant de mûres sauvages à pleines mains. La petite fille s'agenouille aussi, cueille et mange tous les fruits noirs et rouges à portée de sa main. Ayant fait le tour de l'arbuste, l'ayant systématiquement dépouillé, les enfants se retrouvent, épaule contre épaule, genoux contre genoux. Ils se barbouillent de mûres, visages, bras et jambes, se lèchent mutuellement dans la chaleur moite des fardoches à midi.

Sœur Julie continue de dormir, debout dans la vapeur du lavoir. Sa respiration est profonde et large. Parfaitement béate, sœur Julie ne s'appuie à rien. Toutes les sœurs se sont arrêtées de travailler pour regarder dormir sœur Julie. Personne ne s'avise d'essayer de la réveiller, tant le spectacle est impressionnant. A un moment donné, pourtant, sœur Léonard tire sœur Julie par le bras pour l'éloigner de la cuve, de peur qu'elle ne tombe dedans. Le bras de sœur Julie reste éloigné de son corps là où l'a tiré sœur Léonard. Sœur Léonard tire l'autre bras de sœur Julie, fort en arrière, et le bras demeure dans cette position, raide et immobile. Toutes les petites sœurs défilent alors devant sœur Julie. C'est à qui lui pencherait la tête sur l'épaule, ou lui bougerait les pieds, sur les carreaux mouillés, comme on fait avec une poupée mécanique.

Sœur Julie dort toujours. Seule, sœur Gemma, terrifiée, refuse de toucher sœur Julie en un aussi étrange état.

Bientôt le vague sourire de sœur Julie se change en un fou rire irrépressible. Elle est secouée, de la tête aux pieds, par une tempête de plaisir, comme si on la chatouillait. Sœur Julie ne se réveille toujours pas. Elle tire la langue comme si elle mangeait une glace. Son ventre et sa croupe s'agitent frénétiquement, d'une façon fort indécente.

Alertée, la mère Marie-Clotilde déclare, d'une voix mal assurée, qu'il s'agit sans doute d'une danse de Saint-Guy, doublée d'une crise de somnambulisme.

Giflée, aspergée d'eau glacée, sœur Julie revient à elle. Elle tombe à genoux, sur les carreaux mouillés, aux pieds de la supérieure, la suppliant d'une petite voix fausse d'avoir pitié d'elle et de lui pardonner ses péchés.

Mère Marie-Clotilde (bien qu'elle n'en ait pas le droit, le prêtre seul...) a très envie de pardonner les péchés inconnus que sœur Julie prétend avoir commis en rêve, afin de ramener la paix le plus rapidement possible parmi ses filles, changées en statues de sel, manches retroussées jusqu'aux coudes, mains rouges, savonneuses, pieds dans les flaques, yeux ronds, bouches ouvertes, âmes exposées aux quatre vents.

C'est à ce moment que sœur Julie relève la tête. Le temps d'un éclair, le regard de sœur Julie atteint la supérieure, furtif, parfaitement animal et insaisissable. L'œil jaune de sœur Julie disparaît aussitôt sous la large paupière, tandis que le visage aveugle continue de rayonner de sa joie impudente.

Mère Marie-Clotilde se garde bien de demander conseil au médecin de la communauté sur le cas de sœur Julie. La supérieure attend un événement qui est en marche dans l'ombre, ne voulant rien entreprendre pour l'entraver, cet événement secret, le désirant fortement et l'acceptant, dans le plus noir de son âme. Des frissons lui parcourent l'échine, comme si elle avait la fièvre. Elle se livre elle-même tout entière à l'attente. Et livre avec elle les filles qui lui sont confiées. Seule l'absence de Dieu peut expliquer cela, ce manque, cet ennui tangible dans tout le couvent.

La face hilare, tronquée par la coiffe, luit doucement. Puis les lèvres de sœur Julie s'agitent, comme si elle récitait un chapelet tout bas. Intriguée, la supérieure se penche. Une petite phrase très grossière se lit sur les lèvres de sœur Julie. La supérieure sursaute et rougit jusqu'à la racine des cheveux.

— Mes mystères joyeux à moi, ma mère, vous pouvez toujours vous les mettre quelque part !

La nuit, comme une mer étale, sans fond ni lueur. Une cellule verrouillée, pareille à un poing fermé. Sur le mur blanc, une croix noire, un Christ d'argent. La supérieure ne parvient pas à s'endormir. Assise au bord de son lit, ayant enlevé ses lunettes, emmaillotée pour le sommeil comme un ballot de toile, elle laisse pendre dans le vide ses grands pieds nus aux chevilles noueuses. Ses gros yeux de cavale affolée roulent de droite à gauche et de gauche à droite. La supérieure des dames du Précieux-Sang vient de retrouver intacte la plus vieille terreur de son enfance lointaine : la certitude quasi absolue que le diable se trouve caché sous son lit et que, d'un moment à l'autre, il va la tirer par les pieds pour la dévorer.

Voici que nous sommes treize à table aujourd'hui, constate la supérieure. Elle se signe d'un coup de pouce rapide sur la poitrine.

Une très vieille sœur, presque centenaire, s'est échappée de l'infirmerie où elle est confinée depuis des années. Elle s'assoit tout à côté de sœur Julie, attirée par sœur Julie, ayant besoin de sœur Julie, attendant un ordre de sœur Julie. Elle demande du pain et de l'eau, n'ayant pas oublié les gestes réglementaires, quoique très lente et tremblante. Des taches brunes sur les vieilles mains. La peau plissée sur la face jaune, collée sur des os rétrécis à l'extrême. Le petit corps momifié, serré par les bandelettes de la mort. Le cœur à moitié étouffé.

La vieille sœur lève les yeux vers sœur Julie, l'interroge du regard. Sœur Julie sourit à la vieille sœur qui n'attendait plus que ce signe d'acquiescement pour mourir en paix. Elle s'écroule sur le plancher, les genoux au menton, les mains entre les cuisses, recroquevillée ; tout de suite rendue cassante comme du verre.

A l'infirmerie, par terre, près du lit défait, on a trouvé un bout de papier froissé, en guise de testament. De grosses lettres informes, puériles, toutes de guingois, presque illisibles.

« Je suis trop vieille. Je suis tannée de vivre. Je n'ai ni la force ni la corde pour me pendre. Merci, Petit Jésus.

SŒUR AMÉLIE DE L'AGONIE. »

Il a été facile pour sœur Julie de répondre à l'appel de sœur Amélie et d'exaucer son désir.

C'est dans la montagne de B... que sœur Julie obtient toutes sortes de faveurs et qu'elle refait ses forces et son pouvoir.

L'homme roux se couche sur moi. Il prétend qu'il est le diable. Moi, je crois que c'est mon père. Mon père est le diable.

Il ne me menace plus de me tuer si je crie. Il me laisse crier parce qu'il n'y a plus personne dans la cabane ni aux alentours. Et puis il aime que je crie.

Plus aucune lumière dans la cabane, ni lampes, ni bougies. Partout la nuit. La pièce est minuscule comme une boîte. Peut-être est-ce un cercueil de sapin ? Cette odeur de bois moisi et de nuit moite, je crois que je ne pourrai jamais m'en défaire.

Cette fois, il a creusé en moi un trou si profond que toutes les bêtes de la forêt vont pouvoir s'y engouffrer, comme dans un terrier.

Philomène n'a pas pris le temps d'enlever son chapeau bleu, avec un oiseau doré et une rose rouge. Elle panse sa fille et la gronde. Elle rit.

— Je t'avais pourtant dit de te méfier. Un homme est toujours un homme. Je peux même pas aller faire mon petit tour en ville, chez Georgiana que... Braille pas, ma petite catin. T'avais ben en belle. Tu t'en sentiras pas le jour de tes noces, va. Bois ça.

La tisane de Philomène fume dans une grande tasse rouge que je n'ai encore jamais vue. Je suis couchée sur la table de la cuisine, le ventre bourré de coton, pareille à un oiseau qu'on vient d'empailler. Philomène soulève ma tête avec ses deux mains pour me faire boire. C'est un goût d'écorce amère qui me colle aux dents, s'attache à mon palais et me donne envie de vomir.

— Dors. Tu es grande et, à présent, tu pourrais accoucher d'un crapaud si tu fais pas attention. Dors, ma belle.

Elle tient toujours ma tête dans ses mains, sur ses genoux. Elle me caresse les cheveux.

Je ne pourrai plus jamais dormir, ni même fermer les yeux. Je tourne la tête du côté du mur. Sur les planches brunies, la marque claire du chapeau bleu que Philomène n'a pas remis en place. Un grand rond comme une assiette plate, avec un clou rouillé au milieu. Je n'ai plus qu'à fixer de toutes mes forces le disque pâle et le point qui est au centre, pour m'empêcher de sommeiller.

Ma volonté entière est tendue pour voir, tandis qu'autour de moi les objets familiers se déforment de plus en plus et prennent des allures fantastiques, à mesure que le breuvage de Philomène agit en moi.

La lune blanche au mur (là où Philomène habituellement accroche son chapeau bleu) prend l'ampleur et l'épaisseur rassurante du ventre puissant de ma mère. Le nombril comme un petit œil immobile. Le pubis noir et crépu.

Quelqu'un dit qu'il faut regarder la nuit en face et que si l'on cille, une seule fois, tout est perdu. Voir, au risque de mourir, la chance de vivre deux fois.

Philomène se maquille avec soin. Aréoles violettes, tétins rouges, beaux seins énormes, bleus. Sur tout le corps des caractères fins, en pluie de couleurs.

Adélard se tient devant Philomène qui lui attache sur le front les cornes et la couronne de feuilles. Son corps long et maigre est barbouillé de noir. Ses côtes sont soigneusement dessinées en rouge. Il n'a pas l'air piteux du tout. Au contraire. Une fierté infinie rayonne par tous les pores de sa peau. Sa gloire lui vient du mal qu'il m'a fait. Sa gloire rejaillit sur moi, au centre de mon ventre crevé. Sa gloire m'envahit soudain, comme une lumière furieuse. Je veux faire la roue devant le soleil, jambes ouvertes pour que l'on voie ma blessure et que l'on m'honore pour cela. Que l'atroce se change en bien. Telle est la loi : l'envers du monde.

Désormais, tous pouvoirs et privilèges doivent m'être conférés. Ayant été à la peine, je réclame d'être à l'honneur. L'infamie du père partagée, je désire être couronnée de feu et de fer, avec lui et par lui.

— Reine et martyre, sœur Julie de la Trinité, priez pour nous.

— Nul ne peut voir le diable sans mourir.

Une voix sans corps ni âme dit cela quelque part dans la cabane. Je regarde la couleur orange de cette voix passer devant mes yeux. Je saisis tout ce qu'elle dit. J'en sais autant que Satan lui-même, mais j'ignore encore ce que je sais.

Adélard a remis un linge noir collé sur sa face. Par moments, cet homme est mon père. Il me parle à visage découvert. Il dit des choses très ordinaires. Il assure « qu'il fait fret ou que l'air est douce, à matin ».

Philomène tient toujours ma tête sur ses genoux. Elle emploie des mots que je ne connais pas. Il est question d'adolescente déjà formée et de l'initiation qui doit suivre son cours.

Je suis nue sur la table de la cuisine, couchée sur le dos, la tête sur les genoux de ma mère.

Il y a un cercle de craie blanche dessiné sur le plancher, tout autour de la table. Les quelques fidèles, admis dans la cabane, se tiennent en dehors du cercle de craie, immobiles, concentrés sur l'ivresse qui monte en eux, attendant la cérémonie promise. Ils me fixent de leurs yeux exorbités. Consentante et livrée, je serai le cœur de leur extase. Adélard et Philomène leur ont promis cela. Il faut que cela soit. On me glorifiera à l'égal de mon père et de ma mère. Dans la cabane de planches et hors de la cabane de planches. Dans toute la montagne d'épinettes et de bouleaux, là où siffle le vent de malédiction, les soirs de tempête.

La pièce est fermée, la porte de bois brut bien enclenchée, le loquet neuf, taillé au couteau, se détache en plus clair sur les planches brunies. Les volets grisâtres sont cloués aux fenêtres. Je vois le jour jaune et rouge à travers les interstices. C'est l'automne. J'ai froid. La vieille toile cirée me colle sur les omoplates.

Les assistants se déshabillent. Les vêtements tombent à terre et ne sont pas ramassés, mais foulés en mesure, sous les pieds nus, machinalement, comme si l'esprit était ailleurs. Battement rythmé des pieds sur le linge froissé. Commence alors une espèce de mélopée à bouche fermée, dans l'arrière-gorge plutôt, des soupirs rauques.

Philomène me fait boire de grandes gorgées dans la tasse rouge. Je m'enchante du bruit de mon sang, entre mes cuisses, qui s'éloigne de moi, avec une plainte douce et chantante. Philomène me dit des horreurs qui me paraissent douces et tendres à mourir. Je comprends à l'envers les paroles féroces de ma mère. Je vois les mots sortir de sa bouche, s'échapper comme des bulles de savon, monter vers les poutres noircies du plafond, crever dans un floc léger.

Philomène assure qu'il faut que je sois vidée de tout mon sang, saignée à blanc, comme un poulet. Le sang d'enfance est pourri et doit disparaître, être remplacé par de la semence magique.

Murmures dans l'assemblée qui se met à chanter plus fort, plus vite, avec violence, battant des mains, se contorsionnant tout le corps.

Me voici maintenant à quatre pattes, sur la table, couchée sur le ventre, ressemblant à ma mère, sur l'autel, au fond du ravin, l'autre été. On installe sur mes reins une planchette et un tout petit poêle noir, carré, bien allumé et brûlant, pour faire cuire le pain azyme, dit-on.

Nul poids sur mes reins, ni sensation de brûlure. Je suis légère et douce, obéissante et ravie, l'égale de ma mère et l'épouse de mon père. Ma paix n'a de comparable que ma fierté. Je suis occupée à suivre sur le plancher les trajectoires lumineuses des incantations montant vers moi, sur un rythme saccadé et essoufflé. Des mots inconnus deviennent visibles, ont de drôles de couleurs malicieuses et folles, souvent outrageantes à l'œil, comme des tisons. Je suppose que ce sont des blasphèmes, des ordures et des blessures mortelles que l'on lance sur moi pour soulager son cœur. Je saisis une phrase entière qui me fait rire.

— Vache, vache, jeune vache à quatre pattes, exauce-nous.

Bientôt j'aurai des sens si fins que je surprendrai du premier coup le cœur ouvert de l'homme, à travers l'épaisseur de ses vêtements et de sa chair. Son cri le plus profond, je l'entendrai dans sa langue originelle. Son désir le plus secret, je le lui ferai sortir d'entre les côtes. Ainsi pour sœur Amélie de l'Agonie, que la mort avait oubliée dans son lit, ne lui ai-je pas bien fait descendre le grand escalier et les trois étages, lui permettant d'épuiser à jamais son dernier petit souffle ? Morte à mes pieds la vieille sœur reconnaissante, exaucée à jamais. Amen.

— Sœur Julie de la Trinité, fille du viol et de l'inceste, entends-nous, exauce-nous.

Le temps dure dans la cabane hermétiquement close. L'air s'épaissit en boucane noire. La tension monte. Le bruit devient intolérable. Une femme s'appuie au mur pour ne pas tomber, hurle qu'elle n'en peut plus et qu'elle veut s'en aller. On la gifle et on la soûle.

Sur la table, la fille, couchée à plat ventre, commence de geindre. Elle frémit sous le poids du feu qui la brûle. Philomène rit.

— C'est ce qu'il faut, ma belle. Le pain doit cuire de ta brûlure à toi, comme si tu étais un vrai poêle allumé.

La fille relève la tête, regarde le visage de sa mère, penché sur elle. Le visage ricanant de Philomène se déforme, pareil à un reflet dans le fond d'un chaudron, bosselé, tout sale.

« Hideux. » Le visage de ma mère est « hideux », pense la fille qui n'a jamais entendu ce mot et pourtant le voit inscrit sur le visage de sa mère. La vie n'est plus que cauchemars et apparitions. Un instant, le mot « hideux » s'envole du visage de Philomène, tache jaunâtre, à l'odeur sulfureuse, se cache au plafond, derrière une poutre, et reste à l'affût.

« Hideux », « hideux », « hideux ». Je leur ferai à tous sortir le méchant du corps. Je les confesserai tous. Je les délierai de leurs péchés. Ainsi l'horreur sur le visage de ma mère. Mon pouvoir se décide et se fonde, en ce moment même où le feu, pareil à une bête, toutes griffes dehors, s'agrippe à mes reins. Moi-même feu et aliment de feu, je fais l'hostie de notre étrange communion.

— Que son sang retombe sur nous et sur nos enfants !

— Que ses larmes retombent sur nous et sur nos enfants !

Ils communient tous sous les deux espèces. Pain et sang, dans un tintamarre indescriptible. Quelques-uns tombent à terre et restent là, les yeux révulsés. Le père et la mère donnent leur fille à boire et à manger.

Une couronne sur ma tête, le manteau de pourpre sur mes épaules, pieds et mains liés, Philomène et Adélard me prennent dans leurs bras et me font faire le tour du cercle de craie, appelant, à voix basse et rauque, les Puissances de l'Ombre, les Dieux du Nord, de l'Est, du Sud et de l'Ouest. Ils offrent leur fille consacrée et brûlée. Le vent se met à siffler autour de la cabane. De grands fouets claquent dans la nuit, sur notre maison. Philomène me panse et me soigne à nouveau. Elle me fait boire. J'ai juré d'obéir en tout.

Je m'endors sur la table, enroulée dans une couverture. Autour de moi, les respirations oppressées des dormeurs laissent échapper des songes, terribles ou radieux, qui un instant voltigent dans la pièce, pareils à des lucioles, s'éteignent peu à peu.

Dans mon sommeil le plus profond je vois un arbre immense, couvert de fruits rouges et noirs, très attirants, semblables à d'énormes mûres. La voix de Philomène, métamorphosée, appliquée, pédante, s'insinue, tout contre mon oreille.

— C'est l'Arbre de Science, l'Arbre de Vie, le serpent qui a vaincu Dieu qui se trouve à présent planté dans ton corps, ma crottinette à moi. Tu es ma fille et tu me continues. Le diable, ton père, t'a engendrée, une seconde fois.

69

Je crois que j'ai dormi trois nuits et trois jours de suite.

Je suis réveillée par une fraîcheur salée sur mes joues. J'aperçois mon frère qui pleure en me regardant. La pitié de mon frère mouille mon visage de larmes. Je pleure aussi.

— Julie, Julie, ma pauvre Julie.

— Où étais-tu, Joseph ? Où étais-tu ?

— Dans le bois. Je reste pas ici avec ces genses-là, dans la maison.

Mon cœur se remet à battre comme avant. La vie ordinaire est encore possible. Joseph dit qu'il a pêché un achigan de deux livres et qu'il va le faire cuire pour moi.

Le temps de manger le poisson grillé sur un feu de branchages, tout juste le temps de jeter l'arête, et le crépuscule d'automne est sur nous. Les grands pins noirs près de la cabane, couleur de terre et de paille, aux fenêtres aveugles, ont l'air d'abriter un nid grisâtre, abandonné, tombé là, exposé à tous les dangers de la mort en marche.

Joseph me dit qu'il connaît des cachettes sûres dans le bois et qu'il faut nous en aller d'ici, au plus vite.

Pénétrée de ma supériorité et de mon importance, je lui avoue que je suis initiée et ne puis plus partir. Mon étrange fierté.

L'odeur poignante de l'automne tout autour de nous.

L'oraison mène à tout, à condition de pouvoir en sortir indemne. Aller et venir librement, du couvent à la montagne de B..., et de la montagne de B... au couvent. Faire la navette dans le temps, des années trente aux années quarante. Sœur Julie accomplit ce voyage, de plus en plus facilement, sans que personne s'en doute, durant l'heure de méditation quotidienne, agenouillée à la chapelle, parmi ses compagnes.

Ce matin, pourtant, sœur Julie, dont on a pu admirer la pieuse tranquillité, l'absence totale de toute distraction et les paupières baissées, se trouve mal, tombe de tout son long, à moitié couchée sur son banc et les jambes coincées sous le prie-Dieu. Ses jupes sont tachées de sang.

Le médecin consulté parle de fibrome possible dans la matrice. Il n'ose poursuivre l'examen à cause de l'hémorragie. Il prescrit le repos complet. Même lorsqu'il découvre la brûlure dans le bas du dos de sœur Julie, pressentant je ne sais quelle mortification insensée de bonne sœur, il l'interroge rudement sur l'origine de cette brûlure.

Sœur Julie ne répond pas. Elle a l'air de ne rien entendre. Une créature en état de coma, semble-t-il. Dans un visage blême, pétrifié, deux yeux dévorants, fixés sur le médecin. Celui-ci emploie toute sa volonté à ne pas baisser les yeux. Mais il se sent vu, pénétré, jusqu'à la moelle de ses os, avalé, en quelque sorte, mastiqué et recraché, avec dégoût, sur le parquet bien ciré, comme de la bouillie.

Plusieurs minutes passent. Le Dr Painchaud se fait un point d'honneur de ne pas baisser les yeux, le premier.

Soudain, sœur Julie détourne la tête du côté du mur et se met à pleurer.

Le docteur quitte le couvent, conscient d'avoir échappé à un danger. Il se promet d'opérer sœur Julie et de lui enlever « tout ça » qui lui aigrit le corps et l'âme. *Le mal des cloîtres*, il a déjà lu ça quelque part. Il faut l'empêcher de nuire, la rendre impuissante, lui fermer ses sales yeux jaunes, le temps d'une bonne anesthésie, être le maître absolu de sa vie et de sa mort, lui ouvrir le ventre et le recoudre à volonté, jeter aux ordures tout ce bataclan obscène (ovaires et matrice) qui ne peut servir à rien.

Sa rage lui plaît. Lui si doux et compatissant d'habitude, il ne se reconnaît plus. Un homme peut-il se retourner tout d'un coup, comme un gant, et apercevoir, en un éclair, son double biscornu dans un miroir déformant ?

L'œil de chat de sœur Julie, son œil de hibou arraché de son orbite, déposé dans la main de Jean Painchaud. Pour usage non professionnel. Aucune dissection possible, ni aucune utilisation médicale. Une pierre d'apparence anodine, en réalité faite pour mirer le cœur le plus secret.

Ainsi s'endort le médecin des dames du Précieux-Sang, vieux garçon très sage et chaste. Il divague.

Au plus profond de son sommeil il devient très oppressé. Un poids énorme lui écrase la poitrine. Il peut entendre les battements de son cœur. Désireux de prendre son pouls, il tente un geste de la main droite vers son poignet gauche. Mais il lui est impossible de faire un mouvement. La sueur de son front lui coule dans les yeux, sans qu'il puisse rien faire pour l'essuyer.

Sœur Julie est assise de tout son poids sur sa poitrine, le chevauchant et lui tournant le dos. La brûlure étincelant, au creux des reins, sœur Julie se fait de plus en plus lourde. Un bloc de pierre impassible. Une meule.

« Je vais mourir étouffé », pense le docteur.

La voix de sœur Julie, plate et sucrée, se manifeste quelque part dans la pièce, séparée du corps de sœur Julie, paraissant venir du rideau de velours vert, dans la fenêtre.

— Compte sur moi, cher trésor des âmes pieuses, cher docteur de mon cœur, je te ferai sortir la cochonceté par tous les pores de ta sale peau, rasée de près et lavée d'eau bénite.

Le poids de sœur Julie se fait plus oppressant. Tandis que la volupté monte en vagues pour emporter le docteur au-delà de la mort, à la fois redoutée et désirée.

La voix de sœur Julie, au-dessus de lui maintenant, comme un oiseau invisible.

— Je suis ta night-mère, ta sorcière de la nuit. Tu ne me reconnais donc pas ? Je t'emmène avec moi. Je te ferai voir du pays. Et je te monterai à mort, mon pauvre petit cheval idiot.

Le docteur parvient à pousser un cri. Il se redresse sur le canapé qui lui sert de lit, tremblant comme une feuille. Il ouvre la lumière et se retrouve seul, dans son cabinet de travail. La fenêtre est ouverte. Le rideau de velours vert bat au vent.

Malgré son épuisement, le docteur tient à changer de pyjama et de draps, désirant effacer toutes traces compromettantes de la nuit, à cause de la femme de ménage.

Bien que seule mère Marie-Clotilde (qui accompagnait le Dr Painchaud) ait vu, de ses yeux vu, la brûlure au deuxième degré, de forme carrée, au bas du dos de sœur Julie, l'étonnante nouvelle se répand dans tout le couvent. Chuchotements de bouche à oreille. On va jusqu'à parler des stigmates de Notre-Seigneur reçus par sœur Julie, ruisselante de sang, au cours de la méditation du matin.

Dès le lendemain, les cloques ont disparu comme elles étaient venues, sans que sœur Julie, pressée de questions, ait pu en expliquer l'origine. L'hémorragie étant complètement arrêtée, la petite sœur demande aussitôt à reprendre sa vie conventuelle. Elle prie toutefois la supérieure de la dispenser de l'oraison du matin, pendant quelque temps, prétextant une grande fatigue.

Le petit air humble et soumis de sœur Julie inquiète Marie-Clotilde. Elle s'empresse d'accorder la dispense demandée. Surmontant son dégoût et sa crainte, elle examine sœur Julie, en présence de la sœur infirmière. Une cicatrice blanche, lisse et nacrée luit doucement au creux des reins de sœur Julie.

La sœur infirmière fait remarquer à la supérieure que sœur Julie possède également, à l'épaule droite, une autre marque, très nette et claire, comme la trace d'une morsure.

Début de la semaine sainte. L'ordre semble rétabli. Tous les matins, sœur Julie épluche des légumes, à la cuisine, au lieu de faire oraison. Mais on est toujours sans aumônier ni confesseur. Quant au médecin, il n'a plus

74

remis les pieds au couvent, se contentant de téléphoner pour prendre des nouvelles de ses malades. Il assure qu'il passera au couvent après les vacances de Pâques.

Mère Marie-Clotilde demeure persuadée que l'esprit du mal est entré dans sa maison. Elle ne sait comment l'en faire sortir (plutôt, ne l'ose pas), cherche en vain le dossier de sœur Julie parmi les archives bien rangées du couvent. La supérieure s'agite désespérément, monte et descend les escaliers, impose des pénitences et des punitions à tort et à travers, supprime tous les calmants à l'infirmerie, voulant ainsi associer les malades, les gâteuses, les folles et les possédées à l'œuvre du salut de la maison, en grand péril.

Mère Marie-Clotilde s'abîme elle-même dans des jeûnes insensés, des prières interminables qui la mettent au bord des larmes et de l'évanouissement. Elle écrit en vain à la mère provinciale et à l'archevêché, implorant du secours et un nouvel aumônier.

Aucune réponse. Le monde extérieur se tait. Le couvent semble abandonné des hommes et de Dieu.

La supérieure a recours à la mère assistante et à la mère économe. Réunies en conseil, les trois religieuses discutent, à voix basse, du cas de sœur Julie de la Trinité. Elles décident de se séparer de sœur Julie, le plus rapidement possible, avant qu'il ne soit trop tard, et rédigent un long rapport pour l'archevêché.

Cela commença par l'infirmerie, lieu cloîtré entre tous, où viennent mourir toutes les sœurs du Précieux-Sang, dispersées dans une quinzaine de couvents, à travers le pays. Telle est la Règle. L'Alma Mater doit recueillir celles qui ne sont plus bonnes qu'à souffir et à mourir.

Vous avez eu tort, ma révérende mère supérieure. Il ne fallait pas retirer les calmants aux pauvres malades, lâcher les plaintes et les grincements de dents, les jurons et les basphèmes, la douleur toute crue et l'horreur toute nue. *In pace.* Le secret du désespoir était bien gardé. Aucune mort, si étrange fût-elle, ne s'appelait jamais suicide. Aucun amour entre religieuses, si déchirant fût-il, ne s'appelait jamais amour. Aucune caresse brûlante, fugitive et tendre, ne s'appelait jamais caresse.

Sœur Jean de la Croix, immense, se lève de son lit-cage, vacille sur ses grands pieds. Quatre-vingts ans, une sonde à demeure dans la vessie, un sac de plastique, plein d'urine, attaché à la cuisse. Elle réclame la petite sœur Jérémie de la Sainte-Face qui lui souriait toujours en lui offrant de l'eau bénite, à la dérobée, au sortir de la messe. Il y a soixante ans de cela.

Sœur Agathe entonne une chanson de corps de garde que lui ont apprise ses frères il y a bien cinquante ans. Elle dit que c'est pour endormir son petit Jésus, dans ses bras, qui n'arrête pas de chialer et de baver.

Sœur Lucie des Anges monte et descend les escaliers, d'un pas chancelant. Elle frappe à toutes les portes et demande, chaque fois, d'une voix chevrotante, si c'est bien là la maison de ses parents : 92, rue Saint-Augustin.

Sœur Sophie, qui est pleine de plaies purulentes de par tout le corps, répète, tout essoufflée : « Que votre volonté soit faite » et « mon Dieu, ayez pitié de moi ». Parfois elle ajoute, après un hurlement plus prolongé : « Pardon, mon Dieu, pardon pour mes péchés et ceux de toute la terre. »

Sœur Angèle, qui a vingt ans, pleure doucement, presque tendrement, d'une voix nasillarde, lancinante, sans jamais s'arrêter : « Je ne veux pas mourir, pas tout de suite. Je ne veux pas. Je vous en prie, bonne Sainte Vierge. »

Mais le plus dur à supporter, c'est sans doute le cri de sœur Constance de la Paix, qui est aveugle et à demi paralysée, rauque, inhumain, un grognement plutôt, répété jusqu'au matin, rythmé, saccadé, comme frappé sur une enclume : « Mon Dieu, pourquoi m'avez-vous abandonnée ? Pourquoi ? Pourquoi ? Mon Dieu, où êtes-vous ? Où êtes-vous ? »

Une telle clameur d'enfer versée sur le couvent nous tient toutes éveillées, nous les jeunes et les bien-portantes qui retenons nos songes et nos phantasmes comme des péchés. Celles de l'infirmerie, les plus proches de la mort et de la naissance, ne se taisent qu'au matin et s'endorment, semblables à de petits enfants déchirés par des chiens errants.

Il ne fallait pas faire cela, mère Marie-Clotilde. Il ne fallait pas. Quel démon vous a donc poussée, ma mère ? (Ce ne peut être qu'un démon.) Il ne fallait pas enlever les calmants à l'infirmerie. Vous voilà bien avancée, à présent, vous demandant pour la première fois, du fond du cœur, à quoi peut bien servir la souffrance humaine. Quel Dieu barbare, lui-même victime et complice, cloué sur la croix, ose proclamer que la souffrance est précieuse comme l'or, bonne comme le pain et qu'elle seule peut sauver le monde, l'arracher aux forces du mal et le délivrer des griffes du péché ? Le salut éternel. Son prix exorbitant. Scandale, ma mère, que tout cela !

En quel état vous êtes-vous mise, ma mère ? Dans quel abîme vous êtes-vous donc plongée ? Le péché contre l'esprit c'est peut-être cela, ce doute, cette remise en question de l'ordre de Dieu, cet accablement de tout l'être, environné de ténèbres ? La douleur humaine seule visible dans la nuit, comme une étoile, à l'éclat insoutenable.

Mère Marie-Clotilde fait un acte de contrition, en attendant de pouvoir se confesser. Le nouvel aumônier doit arriver le lendemain.

Elle donne l'ordre de doubler les doses de calmants prescrits, pour toutes les malades à l'infirmerie. Le couvent tout entier semble plongé dans la stupeur la plus complète, nuit et jour. Car on est en pleine semaine sainte, et le grand silence devient de rigueur.

Penchée au-dessus de l'évier de la cuisine, sœur Julie épluche des choux et des carottes. Des gestes ralentis et sans pesanteur, semblables à ceux que l'on fait sous l'eau. Puis elle s'anime brusquement et se met à lire avec avidité les nouvelles de la guerre, sur les feuilles de journaux qui enveloppent les légumes.

Des commandos ont effectué un raid contre la région de Dieppe, en France occupée, de bonne heure, ce matin. Le tiers des forces engagées dans la bataille est composé de soldats canadiens.

Cela fait si longtemps que sœur Julie est sans nouvelles de son frère. Et s'il était en train de se battre à Dieppe ? Et s'il lui était déjà arrivé malheur ? Se peut-il que sœur Julie soit responsable (à cause de sa mauvaise conduite au couvent) de la mort de son frère ? Ce n'est vraiment pas la peine d'être voyante si l'on ne peut rien savoir de ce qui nous importe le plus au monde. Sœur Julie se mord les poings de dépit. Pourvu que Joseph ne soit pas à Dieppe ! Comment savoir ? Que faire pour conjurer le sort ?

Elle se promet d'observer fidèlement tous les exercices de la semaine sainte, afin qu'aucun mal n'arrive à son frère.

Que s'éloigne à jamais la catastrophe qui rôde autour de Joseph ! Que mes mains, jointes en prière, le protègent des balles et des obus ! Prier sans cesse. Me mortifier sans pitié.

Sœur Gemma prétend que sœur Julie a poussé un

grand cri, retirant ses mains de sous l'eau froide du robinet, là où elle lavait les légumes.

Pendant toute la semaine, jusqu'au dimanche de Pâques (jour de la remise de la lettre de Joseph), sœur Julie eut des cloques dans les paumes des deux mains, comme si elle eût été ébouillantée à travers une passoire. Elle continua d'éplucher et de laver des légumes tous les matins et de joindre ses mains pour prier durant les interminables offices de la semaine sainte, désirant, de tout son cœur, faire pénitence, en union avec la Passion de Notre-Seigneur.

Office des ténèbres.

Trois jours. Trois nocturnes.

Epuisées par le jeûne et la pénitence, le voile rabattu sur la figure, toute identité effacée, rendues pareilles aux statues du carême, sous la draperie violette, les religieuses doivent descendre aux enfers. Le plus creux de leur âme et de leurs péchés doit être atteint et dénoncé. Le plus profond de leur amour et de leur douleur doit être saisi et vérifié. La flamme vacillante de la joie doit être tenue en veilleuse jusqu'au matin de Pâques.

La première nuit nous rappelle la trahison qui se trame dans l'ombre et l'agonie, à Gethsémani.

La seconde nuit évoque la mort du Christ dans les ténèbres du Calvaire.

La troisième nuit nous fait veiller auprès du sépulcre.

Par trois fois, on allume quinze cierges sur le grand chandelier triangulaire, au centre du chœur.

Ces cierges que l'on éteint, l'un après l'autre, un à la fin de chaque psaume, ressemblent à l'amour fragile que l'on souffle. Lorsqu'on entonne le *Benedictus*, il ne reste plus qu'un cierge allumé au sommet du chandelier. Ainsi, le Christ abandonné de tous ses apôtres. On éteint alors même les cierges de l'autel.

Sœur Gemma, sortie de sa cuisine pour cet office, s'en va cacher le dernier cierge derrière l'autel.

Et nous sommes environnées de ténèbres épaisses, par-dehors et par-dedans. Le fond de la nuit touché. La main noire qui presse le cœur. La mort par étouffement n'a jamais été plus proche, ni notre consentement absolu à la nuit, malgré la terreur et l'angoisse, l'envie de crier.

Jérusalem, Jérusalem, reviens au Seigneur, ton Dieu.

Sœur Gemma disparaît lentement, emportant le dernier cierge. Sa démarche hésitante, son dos courbé, son air de chien battu. La flamme clignote dans sa main.

Ni beauté, ni éclat. Elle n'a plus d'apparence. C'est qu'elle porte nos péchés. Elle est transpercée à cause de nos péchés. C'est par ses blessures que nous vient la guérison. Ce sont nos maladies qu'elle porte. Ce sont nos douleurs qui pèsent sur elle.

Mère Marie-Clotilde est délivrée du poids accablant de sa maison. Elle se sent miraculeusement légère et calme, irresponsable en quelque sorte, rassurée. Elle se félicite de la bonne idée qu'elle a eue d'envoyer sœur Gemma se mortifier à la cuisine. La loi étrange du salut.

A la fin de l'office du samedi saint, sœur Gemma va chercher le cierge qu'elle avait caché derrière l'autel, selon le rituel. Le cri de sœur Gemma ! Sa panique, ses lèvres blanches. La voici qui ramène le cierge éteint et carbonisé.

Je suis sûre qu'il est arrivé malheur à Joseph, pense sœur Julie. Ce cierge éteint, c'est un signe du diable, c'est certain.

D'un geste rapide, mère Marie-Clotilde a rallumé le cierge.

La petite flamme palpite à nouveau. L'espoir de la résurrection nous est donné une seconde fois. Soupirs de soulagement. Mais, pour sœur Julie, l'espérance s'est rompue, dans la nuit, derrière l'autel où quelqu'un, caché dans le dos de sœur Gemma, a soufflé le cierge qu'elle tenait à la main.

Le grand silence s'étend sur les sœurs agenouillées, sur la chapelle entière. On fait un peu de bruit sur les stalles du chœur, afin de rappeler le tremblement de terre qui suivit la mort de Jésus. Celles qui sommeillaient sont brusquement réveillées. Il n'est plus que de se retirer en silence.

Dans la chapelle vide de toute présence eucharistique, l'autel reste nu. Seule la croix dévoilée s'offre à notre adoration.

C'est l'hiver. La neige fraîche bloque les fenêtres. C'est ce qui explique la lumière bleuâtre et froide qui règne ici. Dehors, il doit faire un soleil resplendissant, la neige craque sûrement sous les pas. Depuis une semaine au moins, personne n'est sorti de la cabane.

On a bouché toutes les fentes entre les planches des murs, avec de vieux journaux mouillés, pétris comme de la pâte. Il ne nous reste plus qu'à dormir, pelotonnés dans les sacs de couchage. Ne plus savoir si c'est le jour ou la nuit. Se retenir le plus longtemps possible d'avoir froid, faim et soif.

Peut-être s'agit-il d'une autre cabane ? Philomène et Adélard sont des squatters. Ils viennent d'on ne sait où, voyagent à travers bois et portent leurs deux enfants sur leur dos, comme font les squaws. L'homme et la femme sont attelés à leurs bagages, pareils à des chiens esquimaux, une grosse courroie attachée autour du cou et des épaules, ils tirent des luges recouvertes de bâches, peinent et maugréent des mots incompréhensibles, en aucune langue connue. Leurs yeux exorbités, au blanc éclatant, roulent de droite à gauche et de gauche à droite. Effrayés, rusés et cruels, aux aguets du moindre bruit, ils surveillent la forêt, les bêtes et les hommes cachés, craignant surtout les hommes, les maudissant parfois, poursuivis, haineux, doués de vie, plus que personne au monde, dépositaires de secrets, guettant une cabane pour y monter leurs fêtes, leur culte, leurs cérémonies et leur alambic, à proximité d'un village privé d'alcool, régenté par un curé, étant faits pour vivre du désir des hommes et des femmes, capables d'éveiller toutes faims et soifs enchaînées au cœur des villages endormis. Ils savent rire et vivre trop fort et s'accouplent l'un l'autre dans un vacarme de chats, choisissant leurs cabanes, à distance, délimitant leur territoire, y déposant leur progéniture et leurs bagages, les enterrant parfois à la hâte les uns et les autres dans le sol gelé (fœtus et nouveau-nés embaumés de bagosse), dans un trou creusé sous le plancher de la cabane. L'homme et la femme, talonnés de trop près par les habitants d'un village soudain retourné contre eux, sont parfois obligés de fuir en toute hâte.

Peut-être même est-ce la première cabane de la série de toutes les cabanes habitées ? Cabane à sucre abandonnée ? Camp de chasseur oublié ? La cabane originelle, avec un seul sac de couchage grignoté par les mulots, posé sur le plancher, au milieu de la pièce. Un vieux gros poêle rouillé sur ses pattes torses. Les immenses chaudrons noirs servent à bouillir le sirop d'érable. Les palettes de bois minces et grises, si utiles autrefois pour étendre la tire sur la neige. Tout le vieux matériel encore utilisable est resté là, en vrac. Les bouilleurs de cru sont inventifs et capables de tout.

Pour peu que l'on ait le courage de regarder à l'intérieur de la cabane, attentif à tous les détails, respirant à pleines bouffées le remugle d'écurie chaude et d'algues pourries qui s'échappe du sac de couchage placé au centre de la pièce, on se rend très bien compte qu'il s'agit ici du lieu d'origine.

Deux géants paisibles dorment, enfermant avec eux, dans leur double chaleur, leurs petits tremblant de froid.

On pourrait se croire à nouveau dans le ventre de la mère, gardé par la force du père. Mais lorsque le père livre combat à la mère, il chasse impitoyablement les enfants du sac de couchage.

— Dehors, mes petits maudits !

La bataille entre le père et la mère peut durer toute la

nuit. Ou la journée. Pour se réchauffer, les enfants n'ont plus qu'à courir dans la cuisine sans feu, pieds nus, vêtus d'une courte chemise, large et raide, taillée dans des sacs vides de farine, cousue à gros points. Un trou pour la tête, deux trous pour les bras. On peut lire encore en lettres rouges et bleues, à moitié effacées, dans le dos du petit garçon ou sur le ventre de la petite fille : *Five Roses*.

Les parents sont des ogres. Ils ont fait du feu dans le poêle et laissé mijoter leur mangeaille. Ils dévorent maintenant à belles dents, durant des journées entières, des viandes graillonneuses et luisantes et des patates au lard. Ils mangent dans des assiettes de granit bleu moucheté. Ils boivent, gorge renversée, à même des cruches de verre. Ils s'essuient la bouche, le menton, le cou et la poitrine avec des mains graisseuses.

— Patates à l'eau et mélasse ! C'est toute ce qu'y faut pour les petits baptêmes de maudits ! Le lard, c'est pour les grandes personnes,

proclame Adélard qui s'étouffe de rire.

— Petits, petits petits...,

glousse Philomène, comme si elle appelait des poussins.

Elle dépose sur le plancher une assiette de pommes de terre froides baignant dans le sirop. Les enfants mangent à pleines mains les pommes de terre ruisselantes de mélasse. Tout poissés et heureux, ils rêvent de retrouver la chaleur du sac de couchage, tandis que le poêle s'éteint.

Ogres et géants se couchent à nouveau, défendent leur antre bien fourré et gras, lancent des bûches dans les jambes et sur les orteils du petit garçon et de la petite fille pour les éloigner. Ils rient à gorge déployée et s'étreignent à nouveau, ronflent presque aussitôt.

Les enfants passent de l'amour béat à la haine éperdue pour les maîtres du lit et du poêle, les seigneurs de la nourriture et de la famine, les dispensateurs souverains des caresses et des coups.

Blottis l'un contre l'autre, sans aucune parole échangée, le petit garçon et la petite fille se promettent alliance et fidélité, désirant de toutes leurs forces faire front commun contre les puissances de la cabane et de l'hiver.

— Il est arrivé malheur à Joseph. Je suis sûre qu'il est arrivé malheur à Joseph ! Je le sais. Je l'ai tout de suite su lorsque sœur Gemma a ramené le cierge éteint de derrière l'autel,

se lamente sœur Julie.

— C'est sœur Julie qui a éteint le cierge ! Je suis sûre que c'est elle ! J'ai reconnu son souffle brûlant. Voyez, j'ai encore la marque toute rouge sur ma joue. Là, à droite. Vous voyez bien ?

Le silence du carême est rompu par des plaintes et des récriminations.

Mes filles méritent d'être punies. Et elles le seront. Pour sœur Gemma, il faudra aviser. Quant à sœur Julie, son châtiment est déjà en cours. Je ne ferai rien pour l'empêcher de croire que son frère... Quoique j'aie entre les mains la preuve formelle que ce frère se porte à merveille. Que la semaine sainte suive son cours et s'achève en bon ordre ! Aucune lettre ou missive quelconque ne doit être remise aux filles confiées à ma garde, de tout le carême jusqu'au dimanche de Pâques, après la grand-messe. Ainsi le veut notre Sainte Règle. Je suis la supérieure de ce couvent. Muette comme la tombe, je garde fidèlement les secrets de mes filles. Le courrier, amassé depuis le mercredi des cendres, dépouillé, censuré par mes soins, leur sera remis en temps et lieu.

Amen.

Que les cérémonies se déroulent telles que prévues :

Célébration de la lumière.
Célébration de l'eau.
Bénédiction de l'eau baptismale.
Messe solennelle de la résurrection.
Je suis ressuscité et désormais me voici avec toi, allé-luia. Ta main s'est posée sur moi, alléluia ! Ta sagesse est vraiment admirable, alléluia, alléluia !

Alléluia, mes sœurs ! La parole nous est rendue, et le libre mouvement de nos genoux et de nos reins cassés, et la nourriture et la boisson du petit déjeuner pascal. Voici le café d'orge qui fume et le gruau raboteux, couleur de tweed, sous des ruisseaux de lait frais. Les toasts beurrés embaument. Le jeûne est rompu. Alléluia, mes sœurs ! Voici le courrier tant attendu, déposé bien en vue, en face de chaque assiette.

Célébrons donc ce banquet, non plus avec le vieux pain fermenté, la corruption et la méchanceté, mais avec le nouveau pain sans levain, la pureté et la sincérité.

Alléluia, sœur Julie, ouvrez-la donc, cette lettre qui vous est adressée, bien en propre, cette enveloppe de papier de soie bleue, oblitérée : *Somewhere in England.* Vous allez tout savoir, fille de peu de foi et de peu d'espérance qui avez douté de la bonté de Dieu. Votre frère se porte bien. Il revient vers vous pour vous présenter sa *war-bride,* ses longues jambes, son nez retroussé, son accent cockney et sa petite théière en grès marron. Cette fille se nomme Piggy. Ce qui signifie en français « petit cochon ».

Ce mystère est grand. Ils ne font déjà qu'une seule et même chair. Dieu l'a décidé ainsi (Piggy étant catholique, quoique anglaise).

Celui qui aime sa femme s'aime lui-même. Personne n'a jamais voulu de mal à son propre corps, on le nourrit au contraire, on l'entoure de soins, comme le Christ le fait pour son Eglise, pour nous qui sommes les membres de son corps, qui sommes sa chair et ses os.

89

Mais cela, une sœur ne peut le comprendre, qui n'a connu que le visage et les mains de son frère, peut-être même ses pieds nus lorsque l'été, dans l'eau limpide du ruisseau, sur les cailloux gris... Mais pour le reste, un frère pour sa sœur ne demeure qu'un vêtement d'homme, étanche et fermé, posé sur une forme d'homme, mystérieuse et secrète, son cœur dissimulé, sa virilité cachée. Et voici maintenant que cet homme, votre frère, n'a plus rien d'inconnu pour son épouse. Tout son corps d'homme dans ses moindres détails est maintenant offert et donné au corps nu de sa jeune épouse, également connue et visitée par son mari, votre frère Joseph. Ainsi le Christ de son Eglise. Alléluia, ma sœur ! Ce sacrement est grand, quoique les nonnes que nous sommes puissent en augurer dans le secret de leur corps, plein de répugnance. L'union de l'homme et de la femme a été élevée au rang de sacrement par Dieu lui-même, Dieu sans qui tout cela ne serait que fornication d'enfer. Réjouissez-vous, sœur Julie ! Votre frère est marié. Le voici désormais à l'abri des tentations de ce monde, toute concupiscence apaisée, selon les lois de notre sainte Eglise. Alléluia ! Que le Seigneur bénisse cette union et qu'elle porte des fruits le plus rapidement possible !

— Tante Julie de la Trinité, priez pour nous.

Sœur Julie a remis la lettre de son frère dans l'enveloppe. Elle a redemandé deux fois du gruau et l'a avalé très goulûment. Elle s'est essuyé la bouche sur sa manche, a poussé un soupir de satisfaction, puis un rugissement. Elle s'est mise à cogner sur la table avec son poing fermé. Elle répète d'une voix rauque qui ne semble plus être la sienne :

— Ah ben Christ ! Ah ben Christ !

Toute une série d'imprécations s'échappent à présent, non seulement de sa bouche, mais de toutes les parties de son corps, comme si elle était devenue ventriloque.

Des exclamations sauvages, entrecoupées, hachées, se bousculent. Trois mots cependant, très nets, reviennent sans cesse, pareils à un leitmotiv.

— Maudit. Baptême. Verrat.

Il est à noter la position extraordinaire du corps tendu de cette fille, courbé comme un arc, la tête rejoignant presque les talons. Ceci dépasse tout à fait les forces de la nature...

récite le nouvel et vieil aumônier, d'une voix blanche, à la mère supérieure. Tous deux, l'aumônier et la supérieure, se raniment, soudain comblés de fièvre et de vie étrange, après tant de jours ternes et gris.

— Méfiez-vous, monsieur l'abbé. Elle vous regarde à présent !

Trop tard, l'œil de sœur Julie se pose un instant sur l'aumônier, parfaitement étale, vide, couleur de safran.

Incapable de bouger ni de baisser les yeux, l'aumônier supplie Dieu, tout bas, de briser l'air entre lui et sœur Julie, afin que se détache de lui ce regard qui l'envoûte et le cloue à sa chaise pour le crucifier.

Avant toutefois que sœur Julie ne détourne la tête, la bouche pleine de jurons et de blasphèmes, le vieil aumônier croit comprendre ce qui rend insoutenable le regard de sœur Julie. La pupille de son œil est horizontalement fendue, comme celle des loups.

Ils m'ont endormie de force et m'ont attachée sur mon lit pour me faire une piqûre intraveineuse à la saignée du bras. Le Dr Painchaud est mandé en toute hâte. Les lunettes d'écaille écrasent son tout petit nez dans sa face ronde et rose. Il évite soigneusement de me regarder en face.

La supérieure, son mufle frétillant, comme si elle respirait à la dérobée un bon coup l'odeur sulfureuse d'une fleur empoisonnée, se pâme et jouit. Et la terreur et la culpabilité ajoutent encore à l'émoi de la supérieure des dames du Précieux-Sang.

Le nouvel aumônier (l'ancien s'étant pendu, réduit au néant absolu par mes soins) n'a pas l'air en très bonne santé. Le teint gris, l'œil torve, les cheveux rares séparés par une raie médiane, coiffés en vieux Sacré-Cœur fatigué. Mais il n'y a sans doute aucun cœur rayonnant à l'intérieur de sa camisole sale, boutonnée jusqu'au menton.

Je leur fais peur parce que j'ai les yeux jaunes, comme ma mère et comme ma grand-mère. Toute une lignée de femmes aux yeux vipérins, venues des vieux pays, débarquées, il y a trois cents ans, avec leurs pouvoirs et leurs sorts en guise de bagages, s'accouplant avec le diable, de génération en génération, du moins choisissant avec soin l'homme qui lui ressemble le plus, de barbe rousse ou noire, d'esprit maléfique et de corps lubrique, le reconnaissant, le moment venu, entre tous les hommes, à des lieues à la ronde.

Ils m'ont endormie et jetée dans un trou noir. Me

92

voici au fond d'un puits. J'ai de quoi vivre et rêver. Si j'entrouvre les yeux, j'aperçois mes gardiens qui me surveillent. Ils se croient hors de danger sans doute, m'ayant éloignée par mesure de sécurité.

J'ai tout mon temps. Le lieu profond des rêves. Les morts m'apparaissent et me font croire à leur vie éternelle. L'au-delà est habité par des fantômes et des apparitions. L'immortalité de l'âme n'a pas d'autre origine. *A tale told by an idiot.* Mes révérends, mes révérendes, il y a de quoi perdre la foi, ne pensez-vous pas ? Vous vous imaginez m'avoir mise hors d'état de nuire ? Endormie, couchée là sur ce lit, à l'infirmerie, lancée par-dessus bord, dans la nuit d'un sommeil pesant. Mes mauvais génies me gardent. Ma seule présence dans ce couvent, si endormie et ligotée que je sois, demeure entière et pernicieuse.

Vous êtes là, tous les trois tant que vous êtes, à m'épier dans l'attente de la moindre de mes paroles. Par deux fois, une contraction dans ma gorge, dans ma poitrine : le passage du cri.

— Elle appelle son frère ! Vous entendez comme elle l'appelle ?

J'appelle Joseph, au fond d'un puits vide, aux parois de pierre moussue, verte et rouillée. Dans le lointain, au plus creux de la terre, le ruissellement d'une source perdue.

— Joseph ! Joseph ! C'est moi, Julie !

L'écho est terrible ici. Ma voix m'est aussitôt renvoyée, caverneuse et glacée. Des ondes se répercutent à l'infini. Jo-o-o-seph-seph ! Tout cela comme un ricanement étiré s'effaçant lentement.

Je hurle des injures qui me reviennent aussitôt, dans une cacophonie indescriptible. Toute parole de reproche ou de colère, adressée par moi à mon frère, ne l'atteint plus et me retombe dessus pour me tuer. Je considère mon frère comme un homme mort, attelé à une petite cochonne d'Anglaise. Piggy, Piggy-Wiggy, ma petite salope, va te faire fourrer dans ta soue par qui tu voudras, mais ne compte pas sur mon frère pour... Joseph, Joseph...

— Priez, mes sœurs. Priez. La voici qui hurle à nouveau le nom de son frère, comme une possédée.

La mère supérieure se signe, et tout le couvent avec elle.

Bientôt le son même de la voix de sœur Julie de la Trinité passe de l'autre côté du monde. Ceux qui la veillent n'entendent plus rien, ne voient plus rien.

Une religieuse, dans le désordre de ses vêtements, repose, attachée sur un lit d'infirmerie. Son sommeil est profond, son absence parfaite. Une très vieille morte qu'on n'oserait toucher de peur de la voir tomber en cendres. Une apparence. Rien qu'une défroque couchée, ficelée sous nos yeux. Une image de religieuse.

Les belles cloisons de sapin doré. De place en place, des nœuds couleur de noyau de pêche. La charpente de la chambre bien visible (il n'y a qu'un lambris de planches), avec ses madriers mal équarris. Le plafond, qui est l'envers du toit, s'avère brûlant l'été, glacial l'hiver. La neige, la pluie, le vent, l'herbe ou le sable. Toutes les nuances du froid, du chaud, du sec ou du mouillé, du doux ou du rugueux demeurent perceptibles aux maîtres des lieux, comme la température de leur corps ou la texture de leur peau. Il est facile, à partir d'une habitation aussi profonde des saisons, de dire le temps qu'il fera rien qu'en clignant les yeux et en regardant le nord avec attention, et de brasser l'eau pour faire de la grêle à volonté.

La tête extraordinaire du lit des parents, son ombre portée sur le mur. La lumière de la chandelle posée sur une chaise, près du lit. Une dentelle de fer toute en volutes et fleurons royaux répétée deux fois à cause de l'ombre sur le mur.

La mère, sa couronne de cheveux couleur moutarde à peine sortie des bigoudis, la courtepointe violette et rouge remontée jusqu'au menton, ses bras gras, croisés derrière la tête, sur l'oreiller sans taie. La bouche rouge aux dents claires proclame les lois fondamentales et strictes de la sorcellerie. C'est au père qu'elle s'adresse.

— Débarque du litte, à cet' heure, mon vieux maudit. T'as déniaisé la fille, il faut que je fasse la cérémonie au garçon. C'est le temps.

En lettres noires sur le mur, mêlées aux guirlandes de l'ombre du lit, l'oracle venu du fond des temps :

LE PLUS GRAND SORCIER ET MAGICIEN
EST CELUI
QUI NAÎT DE LA MÈRE ET DU FILS

Le vieux maudit hausse les épaules, crache par terre avec mépris, faussement désinvolte. Il dit qu'il va faire un tour au village, et met son chapeau noir taché de sueur, en auréole, tout le long du ruban. Il sort en claquant la porte.

Philomène rappelle Adélard et lui dit de se méfier des filles du village.

Adélard s'arrête dans le raidillon de sable et de cailloux. Philomène lui parle sous le nez. Ils s'accusent mutuellement d'infidélité, se bourrent de coups de poing. Puis ils éclatent de joie et de rire.

Ils s'agrippent solidement l'un à l'autre, se laissent tomber par terre, roulent ensemble jusqu'au bas de la pente, hurlant de rire à chaque caillou qui les blesse et déchire leurs vêtements couverts de poussière.

Un bon moment, Adélard fouille les buissons, dans le noir, pour chercher son chapeau. Il l'essuie sur sa manche sale, le met sur sa tête, très en arrière. Il s'éloigne vers le village en sifflotant, boite légèrement à cause d'un caillou plus gros que les autres qui l'a atteint à la cheville.

Philomène lave ses blessures sous la pompe. Elle boit un bon coup à la cruche restée sur la table. Enorme, soufflante, la robe rose ternie par le sable, des accrocs un peu partout, saignant au coin de la bouche, à l'épaule et aux deux genoux.

Elle appelle son fils d'une voix tonnante.

— Joseph, Joseph ! gémit une voix brisée, étrangement enfantine.

— Voyez, elle se réveille, et comme elle se plaint. C'est son frère qu'elle appelle.

On a délié sœur Julie. Sur ses poignets, la marque des sangles qui l'ont tenue attachée. Sur le dessus de ses mains, écarlates et très nets, deux J majuscules.

Mère Marie-Clotilde et l'aumônier tombent à genoux, murmurent le nom de Jésus. L'initiale sacrée n'est-elle pas là clairement inscrite sur chacune des mains de sœur Julie ?

Sœur Julie continue de se plaindre d'une voix à peine audible, contemple ses deux mains avec insistance et répète inlassablement :

— Julie, Joseph, Joseph, Julie !

Le docteur a soudain un geste qui l'étonne à peine. Il écrit avec son index sur l'avant-bras de sœur Julie. Des lettres apparaissent distinctement. On peut lire Julie et Jeannot. Deux prénoms s'entrelaçant l'un l'autre, comme gravés au couteau sur un tronc d'arbre.

Le docteur sort précipitamment de l'infirmerie. On entend son pas qui résonne dans le corridor et dans l'escalier. Un silence. Puis la porte d'entrée se referme lourdement.

Jeannot était le nom que la mère du docteur lui donnait lorsqu'il était enfant.

Le long et maigre corps de l'adolescent s'achemine vers le lit aux volutes noires de fer tordu. La tête haute, il semble contempler un point précis à travers le mur de planches, comme si le véritable pôle d'attraction de son regard se fût trouvé en dehors de la cabane, au-delà même de la forêt, quelque part très loin, hors de la portée de Philomène et d'Adélard.

Après avoir bu le breuvage au goût amer, il a déposé la tasse rouge sur la table. Sa main s'est mise à trembler. Son front s'est couvert de sueur. Il a vomi sur le plancher un liquide épais aux longs filaments d'herbe verte.

Son pas de funambule maintenant en marche vers le lit, au centre du cercle de craie. Il avance interminablement, lui semble-t-il, bien que la chambre soit minuscule. Comme s'il ne pouvait, ou ne voulait atteindre le lit immense, dressé en catafalque. Le corps maternel, sous la courtepointe, couché, le gouffre noir caché. Une étrange tête sans visage, toute en cheveux crêpelés, émerge sur l'oreiller rayé de bleu foncé et de gris sale.

Les litanies ont déjà commencé depuis un bon moment déjà. Mais le garçon, qui marche toujours, n'avance pas, ne parvient pas à l'état d'ivresse nécessaire, jugeant le son des voix trop grêle, y reconnaissant les voix connues de certains habitants du village.

On a allumé des cierges aux quatre coins du lit. Il n'y a pas d'air ici. Les flammes demeurent immobiles. Le lit semble s'éloigner à mesure que le garçon avance. Hors d'atteinte, pense-t-il. Trop loin dans l'espace. La tête de citron frisé se fait toute petite et lointaine, le corps, sous la courtepointe, plus opaque et plus lourd, inaccessible.

Il touche la courtepointe avec son genou. Les incantations dans son dos se multiplient à l'infini. Aucune voix ou bruit n'est à l'unisson. De sorte qu'il est très difficile de comprendre ce que disent les litanies. La répétition, lancinante, de certains mots toutefois l'exalte et le réconforte. Taureaux, aigles, coqs et serpents sont invoqués comme des dieux, instamment priés de lui prêter leur force virile, afin que s'accomplisse la loi et qu'il couche avec sa mère.

Le garçon glisse, plus qu'il ne tombe, sur le lit. Il tire la couverture (si lentement qu'on pourrait croire que sa main s'immobilise à chaque instant), et découvre le corps nu et maquillé. C'est ici que la vie a commencé, c'est ici qu'elle doit finir.

L'enfant se couche de tout son long sur la terre de sa naissance. La mère se dégage doucement et retourne le corps de son fils. Elle se couche sur lui, se livre aux caresses les plus tendres qu'elle ait jamais prodiguées. L'enfant pleure. Il dit qu'il a froid et qu'il a peur.

Quelqu'un dans l'assemblée crie que la sorcière a perdu son pouvoir et que son fils est un...

Le vacarme devient étourdissant. Les litanies perdent tout sens et tout rythme.

Les fidèles, soigneusement préparés à cet effet, envoûtés, drogués, tel qu'il se doit, amenés doucement au bord du lit, pour la scène promise, la consommation de la mère par le fils, le passage de la ligne interdite, sont réveillés brutalement, au seuil de l'extase. Le sol se dérobe sous leurs pieds. Surtout ne pas être pris en flagrant délit, si près du péché originel. Là, sur le lit de parade. Cette femme et son fils. Fuir. Quitter cette cabane à jamais.

Sauve qui peut ! Mêlés aux villageois, le départ précipité des dieux offensés, dérangés pour rien. Battements d'ailes, cocoricos, meuglements, sifflements. Toutes les puissances irritées des litanies se retirent en grand désordre.

Dans le silence qui suit, le hurlement de rage de Philomène.

Le démon, resté dans la cabane, entend la colère de la femme et voit la peine du garçon. Il rit à s'en tordre les côtes.

Léo-Z. Flageole, le nouvel aumônier des dames du Précieux-Sang, a soixante-treize ans. Une longue carrière d'aumônerie chez les religieux et chez les religieuses. Une habileté quasi infaillible pour déceler l'œuvre du Malin dans l'âme de tout pénitent ou pénitente, agenouillé devant lui, au confessionnal. On dit de lui qu'il a le flair d'un bon chien de chasse pour suivre l'ombre même du péché dans ses pistes les plus embrouillées. Mangeant à peine et dormant fort peu, il se plaît dans un état d'épuisement physique et nerveux propice aux prodiges de la sainteté ou de l'enfer.

Quelques livres, lus et relus, cornés et usés (outre le bréviaire et les saints évangiles), constituent toute sa bibliothèque. La *Vie de la mère Catherine de Saint Augustin, religieuse hospitalière de la Miséricorde en la Nouvelle-France*, la *Vie du saint curé d'Ars*, le *Malleus Maleficarum* de Sprenger et Institor voisinent, sur ses tablettes, avec les ouvrages des plus célèbres démonologues, comme Bodin, Boguet et de Lancre. Sur sa table de nuit, en guise de livre de chevet, la *Vie mystique de Mme Brault* qui vient de paraître à Montréal.

Depuis longtemps déjà, le nouvel aumônier sait par cœur les pages de saint Augustin et de saint Thomas d'Aquin, relatives à la démonologie.

Après une journée de prière et de jeûne (se contentant de boire un peu d'eau), la longue nuit insomnieuse du nouvel aumônier s'avère brûlante. Il lit et prend des notes, se prépare insidieusement à toute apparition et terreur nocturne.

Cela se produisit au petit matin, un peu avant matines et laudes.

Sœur Julie de la Trinité se trouve soudain dans la chambre de l'aumônier. Elle saute sur le pied du lit et reste là, debout, à regarder l'aumônier. Celui-ci est assis, appuyé à une pile d'oreillers ; sa maigreur, sa chair flétrie, ses vieux os cassants. Il tente de reculer, se recroqueville, les genoux au menton. Sœur Julie, immobile, le domine de toute sa taille. La pupille noire barre l'œil et semble pétrifiée, telles les deux aiguilles d'une montre arrêtées l'une sur l'autre, au point du temps le plus fixe et le plus insoutenable.

Léo-Z. Flageole entend une voix ressemblant à celle de sœur Julie, quoique celle-ci soit toujours impassible, debout sur le lit, sans même respirer, semble-t-il.

— Veux-tu voir ce qu'il y a dans mes bagages de famille, le père ?

Elle se baisse lentement, avec raideur, tire de sous ses jupes, contre ses gros souliers de bonne sœur, une petite valise couleur de taupe, d'un modèle très ancien, au fermoir rouillé, au cuir mince et craquelé.

Deux petits pots de terre, sans couvercle, s'échappent de la valise et roulent sur le lit. Le premier contient une sorte de pommade épaisse et grasse. Le second, une poudre noire, très fine, sable ou cendre, qui ne glisse ni ne s'échappe sur le lit. Suivent aussitôt des brassées d'herbes séchées, un scapulaire de drap, tenu par un cordon, un minuscule crapaud parfaitement momifié et deux hosties jaunies, soudées ensemble, de façon à former une sorte de cachet.

La peur maintient l'aumônier au fond de son lit, l'empêche de bouger et de crier. Le désir éperdu de se fondre dans le bois du lit, là, derrière son dos, de s'incruster, de s'enfermer à jamais, de reculer jusqu'à ce que le bois l'absorbe et le prenne, le garde, pareil à un gisement de craie friable.

— Veux-tu voir mes dessous de famille, le père ?

Elle relève ses jupes, passe sa robe par-dessus sa tête,

arrache d'un geste brusque sa guimpe et sa cornette, défroque d'un coup. Elle apparaît un instant en jupon et cache-corset de sœur du Précieux-Sang, se dénude complètement, le temps d'un éclair. Tandis qu'une robuste femme, éclatante dans sa robe rose et ses cheveux jaunes, surgit à la place de sœur Julie subitement disparue. Seuls les vêtements de la religieuse, en tas par terre, près du lit, peuvent témoigner de son récent passage dans la chambre du père aumônier.

La voix de sœur Julie persiste pourtant, entonne la longue nomenclature de son étrange généalogie.

— Julie de la Trinité engendrée par Philomène Labrosse, dite la Goglue, d'une part...

La femme en rose sourit, retrousse aussitôt sa robe courte, la glisse par-dessus sa tête. L'aumônier tremblant n'a que juste le temps d'apercevoir deux aisselles noires et des seins énormes. Voici que surgit une autre femme, plus petite, en jupe longue et col baleiné, tout comme si elle se fût trouvée à l'intérieur de la femme en rose, la femme en rose étant vide et creuse, en abat-jour, faite exprès pour contenir une autre femme plus petite, plus ancienne dans le temps, qui, elle aussi, accouche d'une autre femme. Des femmes gigognes. Des poupées russes s'emboîtant les unes dans les autres.

— Félicité Normandin (dite la Joie) engendrée, d'une part, par Malvina Thiboutôt, engendrée, d'une part, par Hortense Pruneau, engendrée, d'une part, par Marie-Flavie Boucher, engendrée, d'une part, par Céleste Paradis (dite la Folle), engendrée, d'une part, par Ludivine Robitaille, engendrée, d'une part, par Marie-Zoé Laframboise, engendrée, d'une part, par Guillemette-Anastasie Levasseur, engendrée, d'une part, par Victoire Desjardins, engendrée, d'une part, par Charlotte Focas, engendrée, d'une part, par Zénobée Simoneau, engendrée, d'une part, par Elzire Francœur, engendrée, d'une part, par Mathurine Soucy, engendrée, d'une part, par Salomé Voisine, engendrée, d'une part, par Rosalie Jameau, engendrée, d'une part, par Barbe Hallé, née vers 1645, à La

Coudray, en Beauce, France (son mari n'a jamais pu « ménager » avec elle parce qu'elle était une sorcière), d'une part et d'autre part...

— J'ai le tournis, pense l'abbé.

Toute une lignée de femmes se reproduisent devant lui, à l'infini, de plus en plus petites et démodées. La dernière (Barbe Hallé) n'est pas plus longue que le pouce. (Son minuscule bonnet, son petit fichu.) Elle entrouvre sa poitrine, laisse s'échapper son cœur, fin comme un grain de framboise, le laisse courir sur les draps de l'aumônier, pareil à un insecte écarlate, mû par une vitalité prodigieuse et doué de malice.

Des vêtements de femme s'empilent sur la descente de lit de Léo-Z. Flageole. Une odeur féminine, poignante, s'en échappe et monte vers lui.

La voix de sœur Julie s'impatiente, répète plus fort, en détachant toutes les syllabes.

— Et, d'autre part...

Il faut bien se rendre à l'évidence. Il est là dans la pièce. De toute sa haute taille. Sa barbe de bouc. Ses yeux en amande. Sa face en lame de couteau. Une aisance à nulle autre pareille, dans le rire et la moquerie.

Il foule avec ses pieds le tas de robes, par terre, pour en extraire tout le parfum, sous le nez de l'aumônier qui défaille.

Il parle avec une voix de stentor :

— Mes créatures, toutes mes créatures superbes, mes femmes et mes filles, depuis trois siècles...

Son rire, auquel se mêle celui de sœur Julie, déferle, tel un ouragan, dans la chambre de l'aumônier. Tandis qu'à l'autre bout du couvent sonnent matines.

Hodie, si vocem ejus audieritis
Nolite obdurare corda vestra
Sicut in exacerbatione secundum diem
Tentationis in deserto
Ubi tentaverunt me patres vestri
Probaverunt et viderunt opera mea

psalmodient les nonnes embuées de sommeil. Leurs pas feutrés passent devant la porte de l'aumônier. A l'intérieur de la chambre, le diable empile sur son bras toutes les robes restées par terre, se saisit de la petite valise couleur de taupe et dit qu'il va porter tout cela à la roberie des sœurs.

Matines et laudes s'achèvent sans que l'aumônier puisse se décider à interrompre les fouilles éperdues, quoique méthodiques, qu'il a entreprises dans toute sa chambre, en vue de retrouver un minuscule grain de framboise égaré sur ses draps par Barbe Hallé, née en 1645, à...

Il faut que je croisse et que ma mère diminue.

Sœur Julie de la Trinité s'étire de toute sa taille dans son lit de nonne. Elle oublie sa fureur et son ressentiment au sujet du mariage de son frère et se réjouit du pouvoir singulier qu'elle a de hanter tout le couvent.

On l'a enfermée dans une pièce minuscule, contiguë à l'infirmerie ; sorte de pharmacie laquée en blanc, tapissée de tablettes encombrées de bocaux et de fioles vides.

Léo-Z. Flageole, après avoir consulté mère Marie-Clotilde, proclame quarante heures d'adoration perpétuelle. Jour et nuit, d'heure en heure, au coup de cloche, la garde montante remplace la garde descendante. La plus lente des processions. A tour de rôle, chaque sœur doit demeurer, une heure, agenouillée, face au Saint-Sacrement exposé tout blanc dans l'ostensoir d'or.

Prions, mes sœurs ! Prions afin que le couvent échappe au danger qui le menace. Un loup ravisseur, invisible et pourtant présent dans l'ombre, rôde autour du couvent. Peut-être même est-il déjà entré, gémissant, féroce et blessé par Dieu, hurlant, implorant, en quête de nos âmes pour les dévorer, condamné au désir éternel.

Sœur Julie n'a que le temps de retourner à la cabane avant qu'il ne soit trop tard. Les événements vont se précipiter dans la montagne de B..., d'un instant à l'autre, et suivre leur cours. Vite ! Pendant que l'adoration perpétuelle retient tout le couvent enfermé dans la chapelle.

Il y a de la neige fondante et de la boue sur le plancher de la cuisine. De grandes traînées noirâtres près de la porte d'entrée.

Philomène est assise sur une chaise berçante qui craque et grince, sa robe rose plus défraîchie que jamais, ses larges pieds nus bien à plat sur le plancher, ses ongles noirs. Sur sa tête, un passe-montagne de laine rouge lui fait une face de lune blanche.

Elle bondit sur ses pieds. La chaise derrière elle continue de se balancer un moment, se calme peu à peu, puis s'immobilise.

— Personne ne m'a jamais fait un affront pareil !

L'insulte est publique. Le fils lui a manqué, face aux fidèles rassemblés et préparés par l'herbe et la bagosse, en vue de la réalisation du plus profond désir de leur cœur : la célébration de l'inceste sur le lit de fer de la sorcière. Telle est la loi, afin que naisse, du fils et de la mère, le plus noir génie jamais promis au monde. La possession de la terre sera pour ce fils unique. *Il fera paître toutes les nations avec une trique de fer.*

Joseph a transgressé la loi. Il a vomi sur le plancher l'herbe et la bagosse.

Il a fui la cabane. Depuis plusieurs jours, il n'est pas rentré. Impuissant. Mon fils est impuissant. Il n'a pu supporter l'approche vertigineuse de l'amour. Il m'a gravement offensée, moi, sa mère et son épouse, la maîtresse du bien et du mal, la fleur vénéneuse absolue de la nuit.

Des hommes et des femmes ont été tirés de leur existence ordinaire, sortis de leur paroisse, pareils à des grenouilles arrachées à leur bénitier natal, amenés de nuit dans la montagne de B..., tremblants de peur, appelés par leur nom véritable, jamais encore prononcé, enfin révélé dans le silence de leur sang. Ils sont venus ici pour l'éclatement de la vie. Amenés au plus haut point d'attente et de désir, on les a brutalement relâchés, abandonnés à leurs propres forces. Trahis dans leur espérance et leur foi, ils ont dû s'en retourner bredouilles dans leur village. La plus grande magie n'a pas eu lieu. La promesse n'a pas été tenue. La sorcière et son maître les ont trompés, induits en tentation et laissés en plan, dégrisés, avec l'effroi et la culpabilité pour compte.

Tous ceux-là maintenant, dans le secret de leurs maisons, maugréent contre la sorcière prise en flagrant délit d'échec et de scandale.

Philomène dit que c'est le village qui a corrompu son fils. L'air est vicié qu'on respire là-bas. Déjà, bien avant la cérémonie, Joseph s'est fourvoyé avec les gens de la vallée.

Philomène n'a rien perdu des allées et venues de son fils. En apparence impassible comme une pierre, elle est occupée à voir. Du haut de sa montagne, toute image lointaine, sous son regard, est grandie et grossie jusqu'à trente fois. Semblable aux grands rapaces, elle peut détecter le mouvement d'un mulot dans l'herbe, derrière la maison du bedeau.

L'œil de la sorcière fouille l'ombre où se cache le garçon. Sous le regard maternel, il poursuit sa quête chez les hommes. La nuit, il croit parfois sentir sa mère planer au-dessus de lui, rasant les toits du village, empruntant le vol silencieux des chouettes et des hiboux. Joseph sait qu'elle peut fondre sur lui d'un instant à l'autre et le dévorer en quelques coups de bec, quitte à rejeter ensuite en tas les os, les ongles, les cheveux et les dents de l'enfant.

En plein jour, quoique plus rassuré, Joseph conserve ses mouvements gênés et étriqués pour épier les habitants du village et des rangs. Il les examine et les flaire à distance, caché dans un fossé, derrière un hangar, dans les fardoches bordant la route, à l'abri d'un banc de neige l'hiver. Sensible, influençable à l'excès, il se délecte, s'emplit les yeux, les oreilles, le nez, de tout geste, forme, couleur, son et odeur se dégageant de la vie pieuse et monotone des gens de la vallée. Tous, tant qu'ils sont, soumis à la pauvreté de la terre, aux caprices des quatre saisons, aux lois de l'Eglise et du curé.

La nuit, lorsque le brouillard monte de la rivière et

recouvre le village, il suffit à Philomène de tendre l'oreille à travers des paquets de brume cotonneuse (l'air de quelqu'un qui écoute sous l'eau) pour percevoir, dans le secret des maisons de bois et le grincement des sommiers, la respiration calme ou agitée des dormeurs hantés par elle, l'adorant et la maudissant tour à tour, dans la liberté de leurs rêves.

Philomène est couchée sur le dos, toute seule dans le noir.

Derrière la cloison, les cris de la fille, le rire du père. Ce qu'ils font ensemble, tous les deux, couchés sur la paillasse. Ce que le père n'obtient que par la force. Ce que la fille apprend à défendre, puis à désirer, à aimer, aux portes de la mort. L'enchantement de la violence. La fille se débat, griffe et mord, hurle, jusqu'à ce que l'enfer la secoue de bonheur et la laisse comme morte sur la paille.

Satan dit que seule l'horreur mène à la plus grande volupté, et qu'il faut passer par là et par la haine pour devenir une bonne sorcière. Bientôt deux sorcières dans la maison, ce sera trop. La plus vieille doit disparaître.

Ce qui se dit de capital entre le père et la fille est exprimé sans paroles. Dans le silence le plus absolu et la nuit la plus noire. Le langage du corps à corps, sa suffisance.

Cher Satan, mon père et mon époux. (Ses grandes eaux viriles en moi, son rire comme la voix des grosses cloches.) Enseigne-moi tout ! La perversité. Après, je te quitterai sans un regret. Pour la haine, compte sur moi. Il faut que j'aille débaucher mon frère Joseph qui s'est sauvé dans le bois, parce qu'il a peur de la sorcière, sa mère.

— Je m'en vas, Julie. Je reste pas ici, avec cette femme dans la maison.

Moi, Julie, fille de... Je réussirai là où ma mère a échoué. Changer un enfant en homme. J'aime assez Jo-

seph pour cela. Je serai sa femme. Venger Joseph. **Me**
venger avec lui. Vengeance contre Philomène et contre
toi aussi, cher maître. Partir avec Joseph, nous établir
à notre compte tous les deux, régner sur un grand territoire, fabriquer la bagosse et la magie. Etre jeunes
ensemble et laisser, loin derrière nous, les morts ense-
velir les morts.

Je suis plus grande qu'elle à présent, d'une bonne demi-
tête. Je vois très bien la racine noire, mêlée de fils blancs,
de ses cheveux jaunasses, en mousse folle, jusque sur
ses épaules. Je lui prendrai tous ses secrets : telle est
la loi. La recette de la bagosse, des herbes et de l'onguent, l'art de dire le temps qu'il fera, celui de brasser
l'eau pour faire la grêle, le pouvoir de faire virer le vent
de bord, la possibilité de changer la colère en foudre
et en tempête, l'audace suffisante pour lâcher, les soirs
de pleine lune, dans le creux d'un ravin, toute une cohorte
de danseurs hallucinés, bravant, tous ensemble, les édits
du diocèse, comme on passe de l'autre côté du monde.

L'alcool frelaté fait des ravages dans tout le comté. Plusieurs personnes sont mortes. Deux hommes sont devenus aveugles. Un mandat a été lancé. La police a reçu l'ordre de chercher les alambics cachés, de les détruire et d'arrêter les distillateurs. La langue des habitants se délie. Ils parlent à voix basse des abominations qui se commettent dans la montagne de B... On va jusqu'à évoquer les herbes magiques qui, ajoutées à l'alcool, provoquent les visions.

Ce qui frappe le plus en entrant dans la cabane, c'est le silence. L'homme et la femme n'ont pas allumé la lampe. Ils boivent lentement, à petites gorgées. Une cruche de verre est posée sur la table, entre eux. On peut lire sur l'étiquette verte : *Une des cinquante-sept variétés Heinz.* Trois autres cruches sont alignées sous la table, à portée de la main. Les volets sont fermés. L'homme et la femme se sont promis de vider eux-mêmes les dernières cruches, afin de ne pas les perdre avant de quitter la cabane. Déjà, ils ont cloué des planches en X sur les vieux volets qui ne tiennent plus.

Depuis plusieurs jours, l'alambic ne fonctionne plus dans la cave. On l'a enterré profondément et recouvert de terre battue. Les herbes ont été arrachées de leurs pots et incorporées à la bagosse.

— Le breuvage est particulièrement réussi, déclare Philomène.

Un instant l'envie de fuir effleure la femme qui boit, à larges lampées. Trop tard. L'instant n'est déjà plus. L'envie de fuir n'existe déjà plus. Quelque chose de trop lent dans les muscles de Philomène, dans ses nerfs, dans son désir même de fuite, ne lui a pas permis de se lever immédiatement et de courir, hors de la cabane, alors que l'ordre de fuir lui était donné, à l'intérieur d'elle-même.

Adélard, en face d'elle, lui fait signe de vider la cruche. L'homme change à vue d'œil. Son visage devient de plus en plus fermé et opaque.

La femme boit. Elle se contente de mettre, entre elle et le danger qui rôde, un petit espace d'ivresse, semblable à l'alvéole d'air contenu dans l'œuf d'un oiseau. Tout autour de ce refuge, propice aux visions, la paroi de bois, mince et rugueuse, de la cabane, en guise de coquille.

Nausées.

Délire.

Il n'y a aucune lampe allumée dans la pièce et pourtant la femme assise, près de la table, les coudes sur la toile cirée, est aveuglée de lumière. Elle a beau mettre ses mains sur ses yeux, se couvrir la figure avec sa veste de laine ; la lumière (son centre et son noyau) se trouve dans sa tête et illumine toute la campagne.

Dans un torrent de lueurs défilent des hommes, des femmes, des enfants et des animaux. Toute la forêt, le village et la campagne glissent entre les doigts, comme des truites. On accuse Philomène au passage. On la montre du doigt.

— C'est elle ! C'est la Goglue !

Ils diront tout à la police, si on les interroge. Mais Dieu seul, croient-ils, peut les délivrer de leurs péchés, par l'entremise du curé. Ils se confesseront bientôt, tous. Tant leur crainte de la colère de Dieu est grande. Déjà des hommes sont morts, les entrailles brûlées par la bagosse. Voilà les survivants qui s'affolent et implorent en tremblant la miséricorde de Dieu.

Ils sont insaisissables.

Voici Joseph et Julie, leur image plutôt, assis, l'un à côté de l'autre, au pied d'un sapin, dans la forêt. Inutile d'essayer de les retenir au passage, ils filent, à la vitesse de la lumière, tout en restant immobiles, au pied de leur arbre.

Inutile aussi de tenter de sauver Malvina Beaumont, réfugiée dans la grange de son mari Jean-Baptiste Beaumont, cultivateur. Elle a déjà perdu trop de sang, dans le foin séché, là où elle est couchée, depuis son retour de la montagne de B..., hier, tard dans la soirée.

Philomène a beau fermer les yeux. Il y a des lueurs rouges qui persistent sous ses paupières, comme lorsqu'on a trop regardé le soleil.

Au-dehors, il y a un pas bien terrestre et ferré, qui gravit le raidillon de sable et fait s'envoler, d'un coup, toutes les apparitions, à l'intérieur de la cabane.

A travers les fentes, entre les planches, on peut voir le chapeau, enfoncé sur les yeux de l'homme. Il est seul. Il frappe à la porte. Une sorte de grattement plutôt, le signal habituel. Suit une longue attente. On entend l'homme respirer contre la porte mince. A nouveau le même grattement, la même respiration. L'homme fait le tour de la cabane. Les aiguilles de pin crissent sous ses pas. Il frappe au premier volet de la cuisine. Il dit le mot de passe, à mi-voix :

— La Goglue y es-tu ?

Il s'éloigne dans le bois. On l'entend jurer. Il disparaît, revient, recommence le même manège, sans se presser ni élever la voix ni même gratter plus fort. Il fait le tour des trois volets de la cuisine, les raclant, l'un après l'autre, avec ses ongles courts, répétant entre ses dents :

— La Goglue, y es-tu ?

De nouveau, le crissement des aiguilles de pin, sous ses pas, en direction du bois. Un quart d'heure à peine se passe. Il revient, tape de toutes ses forces, avec ses grandes, grosses mains calleuses, sur toute la façade de planches. Une sorte d'entêtement irréductible, un désespoir contenu. Ne voulant, ne pouvant se résigner à se passer de bagosse, ce soir-là, il répète inlassablement, d'un ton geignard :

— La Golgue, la Golgue, y es-tu ? Y es-tu ?

115

Philomène, sur sa chaise, près de la table, est touchée, frôlée, tirée, agrippée par les mains de l'homme au-dehors, par sa respiration et sa plainte, à travers le mince lambris, mal protégée par le loquet rudimentaire de la porte et les taquets mal cloués des volets, appelée désespérément par un homme en état de manque. Philomène, pour la première fois, apprend à faire la morte et se refuse à exaucer un vœu. La prudence la plus élémentaire lui ordonne cela.

Deux bonnes heures passent avant que l'homme ne se décide à rentrer au village.

Adélard, toute sa personne sans éclat. Son œil terni, mat comme de l'étain. Il se penche sur Philomène et la contemple froidement. Il lui commande de boire encore un peu. Il lui ordonne de dormir. Il prend ses distances. Il lui dit vous.

— Dormez. Je le veux.

La tête sur la table, entre ses deux bras étendus, elle sombre aussitôt.

Adélard relève Philomène, la tient un instant debout devant lui, pareille à une marionnette flasque. Il lui enlève sa robe comme on déshabille un enfant endormi. Les bras retombent, les seins ballottent. La tête se balance d'une épaule à l'autre. Le menton s'affaisse sur la poitrine.

Il la couche sur le lit de fer. Il peint minutieusement tout le corps des couleurs rituelles. La punition est déjà commencée dans la chair de la femme qui se flétrit. Ayant échoué avec le fils, la mère doit être sacrifiée. La plus grande magie n'a pas eu lieu. La sorcière est condamnée.

Adélard accroche la robe rose à un clou, sur le mur. A côté du chapeau de paille bleue des visites à Georgiana.

Philomène accueille Adélard, une dernière fois. Il l'emplit de semence froide. Afin qu'elle sache à jamais qu'il est le dieu froid.

Il recouvre le corps inerte de la courtepointe rouge et violette, quitte la chambre, passe dans la cuisine, attrape au passage son vieux chapeau et ouvre la porte sur la

116

nuit qui s'achève. Il respire, à pleins poumons, l'air merveilleux de ce monde, puis referme la porte derrière lui.

Il s'en va sur la route encore fraîche de juillet, le chapeau en arrière de la tête, les mains dans les poches. Il chantonne un petit air de dérision. Lui qui en a terminé avec cette femme, couchée dans la cabane, il l'agace joyeusement. Il s'insinue jusque dans son sommeil, la convoque et la défie, la hante à jamais. Il s'éloigne d'un bon pas.

— La Goglue, y es-tu ?

Philomène qui ne peut plus répondre à aucun appel, Philomène à qui le départ de l'amour ne peut arracher aucune larme, jouit de l'acuité prodigieuse de son oreille, fine et pointue.

Je jouis de mon reste, pense Philomène qui s'enchante du pas décroissant d'Adélard, jusqu'à ce qu'il disparaisse tout à fait de la surface de la terre, au premier détour du chemin, à travers le fourré, dévoré d'épines et d'odeurs croupies.

Le son des cloches de l'église paroissiale déferle maintenant, à grands coups lugubres et lents, sur toute la campagne. Le glas de Malvina Beaumont résonne interminablement, s'échappe vers la montagne de B..., atteint bientôt la cabane.

— La Goglue, y es-tu ?

C'est la mort qui appelle.

Le foin coupé est délaissé dans les champs. Les habitants des rangs descendent au village, pour l'enterrement de Malvina Beaumont. Des enfants marchent, pieds nus, dans la poussière de l'été. La rumeur des grillons, le chant strident des cigales les accompagnent, de chaque côté de la route.

> *Si iniquitates observaveris Domine :*
> *Domine, quis sustinebit ?*

Le mari de Malvina Beaumont se répète, avec colère, que son dix-septième enfant a été jeté dans les limbes et sa femme précipitée en enfer et que ça ne se passera pas comme ça !

> *A porta inferi erue, Domine,*
> *Animam meam.*

Chacun repasse des choses dans son cœur, tout au long de la messe d'enterrement.

C'est elle. C'est la Goglue qui est responsable de tout. C'est elle qui a fait mourir la femme de Jean-Baptiste Beaumont en état de péché mortel et les deux frères Lefebvre, guère plus en état de grâce non plus. Une empoisonneuse. Une faiseuse d'anges. La Goglue est une sorcière. Elle fait des prodiges et des atrocités. Elle nous a séduits et nous pousse en enfer. Il faut nous débarrasser d'elle et nous réconcilier avec Dieu, avant qu'il ne soit trop tard. Que cette créature quitte le pays, au plus vite, et son diable de mari avec elle !

118

Dies irae, dies illa
Solvet saeclum in favilla
Teste David cum Sibylla.

L'interdiction est formelle. Aucun débit de boisson ne doit être installé dans aucun village. La société de tempérance, dirigée par le curé, nous a fait jurer de ne jamais boire. De même la femme a juré obéissance et soumission à son mari. Tandis que, dès l'âge de dix ans, les enfants s'engagent solennellement à renoncer à Satan, à ses pompes et à ses œuvres.

Quantus tremor est futurus,
Quando judex est venturus,
Cuncta stricte discussurus.

Nous sommes liés par les promesses et les interdictions. Nous sommes soumis à la dureté du climat et à la pauvreté de la terre. Nous sommes tenus par la crainte du péché et la peur de l'enfer.

Le monde est en ordre, les patates et le foin viennent bien, un an sur deux, les enfants poussent dru. Dix, quinze enfants à faire baptiser, dans une vie de femme, qu'y a-t-il de plus ordinaire ? L'hiver, le lard salé, c'est pour les hommes. Les patates et la mélasse, ça suffit pour les femmes et les enfants.

Rex tremendae majestatis
Quem patronum rogaturus
Cum vix justus sit securus ?

Notre erreur c'est d'avoir voulu échapper à notre sort. Le miracle, nous sommes allés le chercher, dans la montagne de B... Et nous voici bien avancés, à présent, avec plusieurs morts sur les bras et des péchés mortels plein la conscience.

Liber scriptus proferetur
In quo totum continetur.

De retour chez lui, Jean-Baptiste Beaumont emplit d'huile une cruche de verre (une de celles qui viennent de la cabane). Il y dépose une longue mèche de lampe. Il met la cruche ainsi préparée dans une sorte de musette de toile grise. Le sac sur l'épaule, marchant avec précaution, il se dirige vers la montagne de B...

Dies irae, dies illa.

La Goglue, y es-tu ?

Les cloches de l'église sonnent en rafales sonores.

Julie se bouche les oreilles. Elle fuit dans la forêt, sachant, de science certaine, ce qui va se passer dans la cabane aux volets clos.

On peut suivre à la trace le passage de l'adolescente, courant à perdre haleine, dans les fougères qui grillent à mesure sous ses pas. Un sillage roussi, en dents de scie, témoigne du pouvoir de nuire à l'herbe et aux verdures de l'été qu'a reçu en héritage Julie Labrosse, fille de...

Des couleuvres tachetées, à tête cuivrée, se déroulent et sifflent à son approche, la suivent, un moment, parmi les pierres moussues et les herbes humides, et lui font cortège.

En pleine forêt, l'ombre est fraîche. Comme si on entrait dans l'eau. Les ronces, les racines à fleur de terre, les chicots secs et pointus. Partout l'inextricable broussaille. Parfois des plaques de mousse là où poussent des bouleaux blancs, veinés de noir.

La respiration oppressée de Julie, ses pieds, ses jambes, ses bras, son visage égratignés, son petit cri plaintif :

— Joseph ! Joseph !

Alertés au petit matin par la sœur infirmière, ils sont là, tous les trois, réunis à son chevet. La supérieure, l'aumônier et le docteur. Ils contemplent les signes d'une étrange Passion inscrits sur le visage et le front écorchés de sœur Julie. Sur le dessus de ses mains et à l'intérieur de ses paumes le même J majuscule est à nouveau gravé. Sous la couverture, brusquement soulevée par le docteur, les jambes et les pieds de sœur Julie apparaissent, griffés et égratignés.

— J pour Jésus,

murmure la sœur infirmière, les yeux rivés sur les mains de sœur Julie. La sœur infirmière se signe d'un coup de pouce rapide sur sa poitrine capitonnée de linge.

Sœur Julie déclare, d'une voix claire, qu'elle mangerait bien un bol de gruau, mais qu'avant elle désirerait instamment aller aux cabinets.

Mère Marie-Clotilde surveille le corridor, afin qu'aucune religieuse ne se trouve sur le passage de sœur Julie, bonnet de nuit sur l'oreille, petits cheveux hérissés, en épis drus, chemise déchirée, égratignures et stigmates, rescapée à grand-peine, semble-t-il, d'une bataille de chats sauvages.

La sœur infirmière tient fermement le bras de sœur Julie qui se dirige, d'un pas décidé, vers les lavabos.

Le couvent tout entier semble désert à cette heure. Seul le grand parloir bruit comme une ruche assourdie. Etonnement et crainte. Exclamations sourdes et confuses.

Les belles fougères vertes, orgueil du couvent, plantées dans des jardinières de grès bleu, disposées dans les fenêtres, face aux petites chaises paillées, bien alignées contre la grille du parloir, ont été mystérieusement bousculées au cours de la nuit. Les crosses cassées et roussies ont l'air d'avoir échappé de justesse à un incendie.

Léo-Z. Flageole, soigneusement préparé par son grand âge, ses méditations, ses rêveries du Moyen Age et par le jeûne et l'insomnie, cède avec épouvante et délices à la fois au dérèglement de tous ses sens et de sa raison.

Il observe sœur Julie, prend des notes, consulte fébrilement ses démonologues préférés, se retient encore de poser un jugement définitif sur le cas de sœur Julie. Il attend patiemment que s'accumulent les signes et les preuves, et prépare un dossier détaillé. Il rêve tout éveillé, de nuit et de jour.

Durant toute une nuit, l'aumônier s'obstine à chercher sœur Julie à la chapelle. Après plusieurs heures d'attente, il l'aperçoit enfin, de dos, solide et moqueuse, dans l'ombre, trop râblée et carrée, lui semble-t-il, d'une race trop forte, trop énergique. Il tente en vain de la rejoindre dans l'allée latérale droite, près de l'autel de saint Michel. Il entend distinctement un rire insolent qui s'étouffe brusquement. Suit un bruit de pas allègre qui résonne dans l'escalier du jubé. L'abbé lève péniblement sa tête chenue vers les poutres hautes là où est accrochée la cloche du couvent. Il perçoit tout un branle-bas étrange, une agitation effrénée de jupons pressés et chiffonnés. On dirait des froissements et des lissages d'ailes lourdes. L'aumônier ne peut s'empêcher de croire que sœur Julie est en train de s'envoler par le clocher. Il aperçoit bientôt distinctement un pied de nonne, avec son gros soulier noir lacé et son bas de laine blanche à côtes, qui se balance dans le vide avant de disparaître tout à fait.

Léo-Z. Flageole se retrouve frissonnant et ronflant, à demi écroulé sur son prie-Dieu, dans le chœur de la chapelle, vers trois heures du matin.

La petite lampe du sanctuaire est éteinte, ainsi que tous les cierges. Il règne là un froid mortel dont l'abbé ne se remettra jamais tout à fait.

Malgré le silence de Léo-Z. Flageole, de mère Marie-Clotilde et du docteur, les nouvelles les plus extraordinaires circulent dans tout le couvent. La sœur infirmière y est sans doute pour quelque chose. Le mot « prodige » se glisse sous les portes, suinte sur les murs, s'insinue entre les grains de rosaire. Les cornettes ont des antennes, les guimpes ont des radars. On chuchote à la récréation. On flaire, on hume le surnaturel qui flotte dans l'air.

Les sœurs font des vœux en passant près de la porte de sœur Julie.

Elles viennent la nuit de préférence sans rompre le silence conventuel, ni même s'arrêter. A peine un léger ralentissement de leurs pas dans le corridor. Le temps de se concentrer. Elles supplient tout bas Dieu ou le diable. Aucune importance. Pourvu qu'on les entende et qu'on les exauce ! L'avidité insatiable de celles qui ont renoncé à tout, dans l'espoir du miracle éternel.

— Que je respire seulement le même air qu'elle s'échappant à travers le trou de la serrure de sa chambre et je serai vengée de sœur Marie-Rose qui me vole toujours ma place, devant toute la communauté, pour aller à confesse. Que la voleuse soit confondue et punie sévèrement !

— Que j'effleure seulement, avec ma jupe, le panneau de la porte, là où elle est enfermée, et je ne serai plus servie la dernière au réfectoire, quand il ne reste que du petit-lait, tout bleu, au fond du pot, et quand la soupière ne contient que de l'eau de vaisselle, mêlée à la terre des légumes mal lavés.

— Laissez-moi mourir avec sœur Angèle de Merici, je vous en prie, ses pommettes rouges, ses mains brûlantes, sa beauté crucifiée, toute cette lumière mortelle qui rayonne d'elle et la consume. Me consumer avec elle, brûler d'amour avec elle et mourir. Laissez-nous mourir ensemble, toutes les deux, sœur Angèle qui est condamnée et moi qui suis bien portante et joyeuse. Je veux mourir d'amour ! Je suis entrée au couvent pour cela. Etendeznous, toutes les deux, ensemble, sur la même croix. Un seul et dernier soupir, pour nous deux, dans les flammes de la consomption et de la fièvre. Dites seulement un mot et nous mourrons ensemble...

Le silence de ce couvent bruit comme le silence nocturne de la forêt. Sœur Julie écoute et exauce.

Sœur Marie-Rose sera prise de fortes diarrhées, au moment d'entrer au confessionnal, et sœur Antoinette retrouvera sa place attitrée, aux pieds de son confesseur. Mère Marie-Clotilde décidera de changer l'ordre habituel au réfectoire, et sœur Blanche boira désormais le dessus crémeux du lait, tous les jours, jusqu'à l'écœurement. Pour sœur Marie du Bon-Secours, elle n'aura qu'à avaler les crachats pleins de sang de sœur Angèle de Merici. La tuberculose sera galopante. Et les deux petites sœurs expireront le même jour et à la même heure, comme une seule et unique chandelle, soufflée d'un coup.

Parfois une voix sourde chuchote à l'oreille de sœur Julie, endormie sur un lit étroit et très haut, ressemblant à une planche à repasser, bordé de couvertures grises, dans une minuscule chambre fermée à double tour.

— Tu es ma fille et tu me continues. Toutes ces hosties pâmées de bonnes sœurs, il faut que tu les possèdes et que tu les maléficies.

La joie de sœur Julie, au réveil, n'a d'égale que son appétit.

— Je veux des pois au lard ! Des fèves au lard ! Des choux au lard ! Des patates au lard ! De la mélasse et du ketchup ! Du beurre de peanut aussi !

La sœur infirmière, selon les ordres reçus, note toutes les paroles de sœur Julie dans un petit carnet noir, pour en faire rapport à mère Marie-Clotilde. Elle s'étonne de n'y trouver rien de surnaturel, ni d'édifiant, ni de maléfique.

Le régime de sœur Julie, prescrit par le docteur et suggéré par la supérieure, ne comporte que des laitages très blancs, sans sel et sans sucre.

La sœur infirmière (pourtant choisie pour sa placidité

et son manque d'imagination) conserve pieusement les linges servant à laver les écorchures, toujours fraîches, de sœur Julie.

— Vous voulez en faire des reliques, ma sœur ?

Prise sur le fait par sœur Julie, la sœur infirmière rougit. Mais pas plus que sœur Julie elle ne paraît se douter que seule une fuite éperdue à travers la forêt de la montagne de B... pouvait aussi profondément griffer les gens, de par tout le corps.

Ça ne sert plus à rien de courir. Il fait trop noir. Impossible de s'orienter. Julie, essoufflée et mouillée de sueur, s'est adossée à un arbre. Elle attend le jour. Les larmes viennent, puis les sanglots violents. Elle ravale très vite ses pleurs et se mouche avec des feuilles. Partout la nuit noire. Le ciel et la terre se confondent. La vie invisible et farouche de la forêt continue de se dérouler tout autour de Julie. Craquements de branches, voix aiguës dans l'herbe, appel d'un hibou tout proche, fuite d'un mulot, celui qui dévore et celui qui est dévoré, les griffes, les dents, les yeux perçants, les mâles et les femelles, les amours et la chasse, chacun, tour à tour, chasseur et proie.

Tout ce qui vole, marche et rampe, entoure Julie et la frôle. Au loin, le clapotis d'un ruisseau. Là, sur un vieil arbre, une plaque de phosphore brille, semblable à des dizaines de petits yeux allumés. Soudain deux prunelles surgissent dans l'ombre, tout à côté de Julie. Un souffle rapide effleure son visage. Une forme vague est là qui vit et respire, à deux pas d'elle. Elle crie. Mais avant même qu'un autre cri ne réponde au sien, elle a reconnu, dans le noir, la chaleur d'un corps jeune, l'odeur de vieux vêtements, le parfum rude d'un garçon jamais lavé, le musc de ses cheveux.

— Joseph !
— Julie !

Ils s'embrassent comme des noyés, restent ainsi enlacés, au pied d'un arbre, la tête légèrement tournée, en direction de la cabane, en attente de ce qui doit se produire.

Se peut-il que Julie voie réellement, à travers la nuit noire ? Un instant, l'obscurité se déchire. Ou peut-être imagine-t-elle cela ? Le temps d'un éclair, elle distingue un bras d'homme, au poil noir, qui lance une cruche de verre contre la cabane. A l'intérieur de la cruche un liquide agité et une mèche allumée. Sur la panse de verre une étiquette verte, reconnaissable entre toutes.

De nouveau la nuit. La forêt inextricable.

Bientôt, au-dessus de la cime des arbres s'élève une lueur de plus en plus rouge, puis un panache de fumée, en rouleaux opaques.

— C'est le bois qui brûle,

dit Joseph.

— C'est la cabane qui flambe, comme une boîte d'allumettes,

corrige Julie.

Eveillés en plein sommeil par Jean-Baptiste Beaumont criant au feu, les habitants du village ont cru que la montagne entière allait y passer. Durant la nuit ils ont fait la chaîne, avec leurs ridicules petits seaux d'eau puisés au ruisseau, désirant protéger la forêt de l'incendie, tandis qu'il était déjà trop tard pour la cabane, bientôt réduite en cendres.

Au petit matin, chacun s'en retourne chez soi, toute flamme éteinte, tout vent apaisé. Légers et purifiés, le sacrifice de la cabane ayant eu lieu, les habitants évitent de se poser trop de questions, au sujet des occupants de la cabane, certainement en fuite, au plus profond de la forêt qu'ils n'auraient jamais dû quitter.

Les villageois n'ont plus qu'à s'enfermer dans leurs maisons et à rendre grâces au Seigneur pour la paix revenue. Réciter le chapelet en famille, à genoux, sur le plancher noueux de la cuisine, à l'ombre de la croix, accrochée sur le mur, entre les portraits, dix fois agrandis, des parents, sinistres et mortuaires.

Ce n'est qu'à la nuit tombée que Joseph et Julie osent s'approcher des décombres fumants dont l'odeur âcre prend à la gorge.

— Là ! Du bois mort ! Là !

hurle sœur Julie de la Trinité que la sœur infirmière a de la peine à maintenir sur la couchette étroite.

Sœur Julie s'agite, tend le bras, indique quelque chose caché, dans l'ombre, au pied de son lit. Elle répète, d'une voix changée et sourde.

— Du bois mort ! Là !

L'édredon, tout noirci, tombe en poussière dès qu'on y touche. La chambre des parents n'a plus ni toit, ni murs, ni plancher. A ciel ouvert, le lit de fer tordu se dresse, au milieu d'un enchevêtrement de planches calcinées. Une suie grasse vole et poudre, se colle aux pieds et aux mains, nous pique le nez, nous brûle les yeux, nous fait tousser. Tout autour l'enceinte de la forêt, faite de troncs d'arbres brûlés, de feuilles recroquevillées et roussies. Par terre, l'herbe rasée, les aiguilles de pin, en longues traînées fuligineuses.

La curieuse petite tête, le curieux petit corps, ratatinés et carbonisés. Une poupée de bois noir gît, à moitié enfouie dans le matelas crevé, au creux du sommier écroulé.

Fuir !

Joseph et Julie détalent de nouveau dans la forêt. Julie a pris le temps d'emplir ses poches de cendres noires.

La sœur infirmière tremble de peur. Elle supplie qu'on la relève de son service auprès de sœur Julie. La nuit dernière, dans un coin de la chambre pleine d'ombre, seule la petite veilleuse bleue était allumée, sœur Julie s'est dressée dans son sommeil. Elle a tendu le bras en direction de...

— Et je n'ai pu m'empêcher de voir ce que sœur Julie me donnait à voir, là, par terre, au pied du lit.

— Qu'est-ce que vous avez donc vu, ma sœur ?

La voix de mère Marie-Clotilde est légèrement enrouée. Le verre de ses lunettes est tout embué et voile son regard chevalin.

— J'ai vu, couchée par terre, une idole de bois, à moitié carbonisée...

La voix de mère Marie-Clotilde devient imperceptible, son regard tout à fait noyé.

— Comment savez-vous que c'était une idole, ma sœur ?

— Ça ressemblait à une statue païenne sculptée par les nègres en Afrique, comme on en voit dans les revues missionnaires, noire comme du charbon.

L'aumônier, à son tour, questionne la sœur infirmière. Il évite de la regarder, tout occupé, en apparence du moins, à extraire de sa soutane la ouate thermogène qui lui couvre la poitrine. Des poignées de coton crasseux jonchent bientôt le parquet, tout autour du fauteuil de Léo-Z. Flageole. Lorsque la sœur infirmière a terminé son récit, il lui fait signe de ramasser tout ça et de lui préparer de la ouate fraîche.

La sœur infirmière est destituée de ses fonctions auprès de sœur Julie. Une retraite de trois jours lui est prescrite, sans aucune communication avec qui que ce soit. L'in pace. Le silence intégral. Le tête-à-tête avec soi-même. L'examen de la nuit de son âme. Le partage minutieux du rêve et de la réalité, en préparation d'une confession générale de tous ses cauchemars.

Mère Marie-Clotilde ne peut s'empêcher de louer la sagesse de Léo-Z. Flageole.

Ne s'agit-il pas avant tout de ramener le couvent sur la terre ferme et de l'empêcher de divaguer, toutes voiles dehors, sur les eaux troubles de l'imaginaire ?

L'abbé Flageole craint d'ébruiter trop tôt ce qui se passe chez les Dames du Précieux-Sang. Ne pas risquer, une fois de plus, d'être traité d'obsédé et de névrosé par les médecins et par les supérieurs. Ne vaut-il pas mieux laisser filer sœur Julie jusqu'au bout de sa possession, avant d'en avertir les plus hautes autorités religieuses ? Garder le secret, soutenir tout seul (avec l'aide fragile de mère Marie-Clotilde et du Dr Painchaud) l'état de siège contre le démon...

Que sœur Julie de la Trinité soit prise en flagrant délit d'ébriété diabolique, aux yeux de tous, et je serai enfin justifié d'exister. Je pourrai enfin exercer, au grand jour, mon véritable ministère, celui dont je rêve depuis mon entrée au séminaire ; pratiquer un exorcisme, en grande pompe, selon le rituel de la province de Québec. Peut-être aussi pourrai-je tenter l'épreuve des aiguilles sur le corps de sœur Julie ? Chercher patiemment, consciencieusement, sur toute sa chair nue, le *stigma diaboli* ?

L'abbé Flageole eut, cette nuit-là, une forte crise d'asthme qui le tint éveillé jusqu'au petit jour. Il suffoquait. Son cœur sorti d'entre ses côtes était piqué de flèches rayonnantes et de longues aiguilles d'or. Ainsi le Sacré-Cœur était-il apparu à sainte Marguerite-Marie Alacoque, religieuse visitandine, née à Lauthecour, en 1647.

L'abbé Flageole se réjouissait de cette divine ressemblance. Mais en même temps il avait peur d'étouffer et de mourir.

C'est alors que sœur Julie vint s'asseoir au pied du lit de l'abbé. Elle arracha, une à une, les flèches et les aiguilles qui lui perçaient le cœur, lui mit sur la poitrine un pansement si doux et frais que Léo-Z. Flageole se sentit aussitôt guéri de ses blessures et de son asthme, tout enveloppé de suavité. Epuisé et reconnaissant, il allait sombrer dans un sommeil exquis lorsqu'il s'aperçut que le pansement sur sa poitrine, glissé à l'intérieur de sa chemise, n'était autre que les deux mains étendues, onctueuses et mielleuses, de sœur Julie de la Trinité.

L'abbé Flageole poussa un tel cri, que tout le couvent, ce matin-là, fut réveillé en sursaut, bien avant que ne sonnent matines.

Le Dr Painchaud, de son côté, n'a pas très bonne mine. Il en est souvent réduit à passer la nuit assis sur une chaise. Parfois il va jusqu'à avaler des cachets de Benzedrine. Tout plutôt que de se laisser aller au sommeil. La peur le ronge d'être brusquement réveillé, au milieu de la nuit, par une terrible apparition qui lui écrase la poitrine, avant de l'abandonner, en pleine extase amoureuse.

La fatigue de Jean Painchaud est telle que plusieurs de ses patients ne peuvent s'empêcher de le remarquer. Son visage change aussi, à vue d'œil. Ses joues rondes et roses (où jusqu'à présent seuls quelques petits poils follets parvenaient à pousser) se noircissent de barbe forte, dès six heures du soir. Il lui faut se raser deux fois par jour. Ses traits poupins et flous (malgré ses quarante ans) se burinent, peu à peu, se durcissent.

Il en vient à négliger toute pratique religieuse, ainsi que les amples jupes maternelles des bonnes sœurs, auprès desquelles, pendant si longtemps, il s'était réfugié ne trouvant pas chez les femmes de la ville de jupes aussi profondes et calmes pour s'y cacher, dans une douce odeur de lait sur et d'encens fané. Toutes ces vierges-mères le protégeaient (comme un doux bataillon de saintes) des créatures de la ville qui parfois lui lançaient de tels regards concupiscents ou moqueurs. D'ailleurs, il était accueilli au couvent à peu près aussi bien que l'aumônier lui-même, avec la même excitation contenue et respectueuse.

Enervé par les visites nocturnes de sœur Julie, encouragé par l'exubérance de sa barbe et par la virilité de son nouveau visage, le Dr Painchaud se décide à demander une bonne adresse à l'un de ses collègues.

Dans une maison de la rue Saint-Paul, deux filles s'occupent de lui, tour à tour. La première, très jeune et douce, la seconde savante, brusque et maternelle. Mais ni l'une ni l'autre ne parviennent à réveiller la nature endormie du Dr Painchaud.

Au moment du départ, la seconde des femmes l'encourage à revenir.

— Fais-toi-z-en pas pour à soir. C'est la bière, mon petit minou. C'est pas de ta faute en toute.

Vous êtes bénie, entre toutes les femmes...

se répète le docteur en pensant à sœur Julie, tout en conduisant sa voiture, le lendemain matin, dans le dédale des petites rues de Québec, en direction du couvent des dames du Précieux-Sang.

Pleine de grâces, le démon est avec vous...

Jean Painchaud rit, au volant de sa voiture. Il se demande si sœur Julie de la Trinité est vraiment belle ? Il désire, plus que tout au monde, en avoir la certitude. En même temps, il craint de la regarder en face. Plus que la beauté, c'est la vitalité, l'énergie qui dominent chez elle. Un corps extraordinaire. Une force anormale. Il faut bien se rendre à l'évidence, tout ce rayonnement de la chair éclatante de sœur Julie dépasse les forces de la nature.

Subitement guérie, ne conservant plus aucune trace d'écorchures ou de blessures, lisse et blanche, elle trône, en robe de chambre, sans bonnet, assise sur une chaise, à côté de son lit de malade, aux draps soigneusement refermés, comme une enveloppe. Ses cheveux tondus (commençant à repousser) retombent sur son front et dans son cou, mousseux et soyeux. Quand elle tourne la tête, on peut admirer son fin bec d'aigle. Ses dents blanches et fortes se retroussent, en un sourire éblouissant.

— Je suis tannée. Je veux sortir de cette maudite maison, tout de suite. Le temps de ma conversion est terminé. Mon frère est marié. Que sa cochonnette d'Anglaise s'occupe de le protéger de la guerre, si elle en est capable !

Elle rit, la gorge renversée et laiteuse. Deux boutons sont arrachés au col de sa robe de chambre.

La beauté de sœur Julie ne fait plus l'ombre d'un doute, à présent. Le Dr Painchaud en éprouve une sorte de désespoir. Il n'ose soutenir le regard de sœur Julie, de peur d'y découvrir ces étranges pupilles dont lui a déjà parlé Léo-Z. Flageole.

La nouvelle de la guérison de sœur Julie de la Trinité se répand dans tout le couvent. L'espoir se lève de nouveau : chez les agenouillées, à la chapelle, les assises, à la lingerie, mais surtout à l'infirmerie, chez les vieilles grabataires, pleines d'escarres. Les prières et les supplications montent, la nuit, de plus belle vers sœur Julie, toujours prisonnière dans une minuscule chambre blanche, pleine de reflets froids, comme une baignoire.

Seule, sœur Gemma résiste et prétend que l'air qu'on frôle dans le couvent est empoisonné. Pour peu qu'on s'y arrête, on respire une odeur croupie d'iris sauvages, pareille à celle qui s'échappe des marécages au printemps.

A la cuisine, les aliments se gâtent à mesure, sous les yeux et sous le nez de sœur Gemma. Les énormes réfrigérateurs de la communauté se détraquent chaque nuit, répandant au matin, dès qu'on les ouvre, des relents d'ammoniaque. Les légumes pourrissent dans les sacs de jute. Les fruits deviennent blets dès qu'on les touche. Le lait tourne. Le beurre rancit. Mieux vaut ne pas parler de la viande de bœuf, presque toujours flasque et d'un gris jaunâtre.

Nausées, vomissements, évanouissements, sœurs Gemma est malade. Bientôt elle ne peut plus rien avaler, bien que la supérieure la force à manger et refuse obstinément de la retirer de ses fonctions.

C'est à la cuisine qu'on a besoin de sœur Gemma. C'est de son dégoût et de son horreur que nous viendra sans doute le salut.

Sœur Gemma prétend que l'odeur qui infecte tout le couvent (et dont personne à part elle ne semble s'apercevoir) vient de la chambre où est enfermée sœur Julie. En passant dans le corridor, sœur Gemma flaire le démon sous la porte de la pharmacie. Elle craint de s'évanouir.

L'aumônier des sœurs du Précieux-Sang console sœur Gemma. Il avance même que, par un mystère incommensurable de la grâce de Dieu, il se pourrait bien que le poids du salut de la communauté repose sur les frêles épaules de sœur Gemma. Elle seule pouvant déceler la pestilence du démon dans l'âme de sœur Julie, il lui revient sans doute de se charger de l'âme de sœur Julie, afin de la racheter de la mort éternelle, en union avec Jésus-Christ, notre Seigneur.

L'économie du salut. Le corps mystique du Christ. Sœur Gemma souffre mille morts quotidiennes. Son dégoût est extrême, comme si on l'avait précipitée dans un tas de fumier pour y vivre et pour y mourir.

Que je devienne vite une sainte et que tout cela finisse ! Je veux mourir dans une apothéose de roses blanches, sans épines, à l'odeur suave. Vite ! Très vite, mon Dieu ! Je n'en puis plus. Je suis à bout de larmes et d'effroi. Mon Dieu ! Mon Dieu, pourquoi m'avez-Vous abandonnée ? Une si longue nuit obscure. Faut-il donc que je meure dans le désespoir ? Est-ce cela que vous exigez de moi ? Ah, Dieu doux de mon enfance, Père, qu'êtes-vous devenu ? Et la blancheur de mon âme, au jour de mon entrée au couvent, la voici à présent semblable à une hostie émiettée, posée sur une nappe sale.

Sœur Julie exulte. Quelques guérisons subites d'ulcères et d'eczéma, quelques mystérieuses résorptions de kystes l'enchantent moins que l'image de sœur Gemma ruisselante de larmes, ainsi qu'il lui est donné de l'apercevoir, de jour ou de nuit, dès que sœur Julie en éprouve la malicieuse envie.

La sœur économe (géniale en affaires, mais absente à tout le reste) s'efforce de soigner et de surveiller sœur Julie, en remplacement de la sœur infirmière révoquée.

La sœur économe se répète à mi-voix que deux et deux font quatre, comme un enfant qui chante dans l'obscurité, pour se prouver qu'il n'a pas peur. Mais au sortir de ses longues heures de garde auprès de sœur Julie, la sœur économe se met à dérailler.

— J'ai les deux pieds par terre, moi, ma mère. Vous pouvez avoir confiance en mon bon sens. C'est pas moi qui prendrais des Messies pour des lanternes. Economie, économie, ma mère ! C'est le secret des grosses fortunes et des couvents bien assis. Il n'y a pas de petits profits. Il faut pondre sur un œuf. C'est moi qui vous le dis. Sœur Julie est gaie comme un poisson. Je ne peux pas voir ce qu'elle voit, ni quoi, ni qui, quand elle regarde par la fenêtre, étant derrière elle exprès pour la surveiller. Mais je sens l'effronterie qui passe, de part et d'autre, de la rue au couvent et du couvent à la rue, à travers la vitre, comme un courant d'air qui monte et descend... A partir de l'œuf qui est pourri, comme chacun sait.

Sœur Julie a demandé des épingles à la sœur économe. Elle a piqué au mur la photo du mariage de son frère. Elle a enfoncé quantité d'épingles dans le bas-ventre de la mariée, souriante et longiligne. Ensuite, les mains cachées dans les plis de sa jupe, elle a fait plusieurs nœuds à la cordelette qui lui tient lieu de ceinture.

Puis, patiente et reposée, sœur Julie a ordonné à la

sœur économe (qui ne peut s'empêcher d'obéir) d'aller lui chercher des cigarettes. Un paquet de Player's (tombé d'une des poches du docteur) semblait attendre, par terre, dans le corridor menant à la porte d'entrée.

Suivant à la lettre les indications de sœur Julie, la sœur économe a très rapidement appris à fumer. Dès cet instant, sa vie a été changée.

Dans le bureau bien encaustiqué de la sœur économe s'élèvent bientôt des nuages de fumée. Spirales, volutes, ronds parfaits montent vers le plafond. La sœur économe croise très haut ses jambes sèches, aux bas côtelés. Elle se répète avec délices qu'elle sent maintenant le tabac comme un homme. Ses jupes, sa cornette, ses jupons, sa culotte de zouave, sa peau de haut et bas, témoignent d'un parfum viril et conquérant de tabagie.

Dans un brouillard bleu qui la fait tousser, la sœur économe traite des affaires du couvent avec une dextérité et une assurance jamais encore atteintes. Sans consulter ni la mère supérieure ni la mère assistante, elle empoigne le téléphone, une cigarette au coin de la bouche, les yeux tout plissés par la fumée. D'une voix de basse russe, elle fait des affaires. Le vieux notaire et l'agent de change attitrés de la communauté, subjugués, abasourdis, ne peuvent que suivre à la lettre les ordres étranges et péremptoires de la sœur économe. Ils vendent, à perte, actions, obligations et propriétés, achètent très cher des savanes, dans des régions perdues, et des immeubles grevés d'hypothèques. Ils accumulent bévue sur bévue, organisent la ruine du couvent. Tandis que la sœur économe brûle tous les coupons au porteur des actions demeurées en sa possession.

Fureur. Désespoir. Le mal semble irréparable. La sœur économe est aussitôt destituée de ses fonctions et enfermée dans le grenier, parmi les toiles d'araignée, les malles de novices et les guirlandes blanches et vertes de l'ail tressé, suspendu au plafond. Loin, très loin de l'influence délétère de sœur Julie de la Trinité.

Mère Marie-Clotilde, dont la main tremble de colère,

donne deux tours de clef. La sœur économe hurle derrière la porte qu'elle est un homme d'affaires. Elle réclame du tabac Old Chum, une pipe d'écume de mer et un crachoir de cuivre. Sa voix de stentor retentit dans tout le couvent, d'étage en étage, jusqu'au rez-de-chaussée.

— Une seule chose est nécessaire, mes sœurs. Filles de peu de mémoire, l'auriez-vous donc oublié ? Moi, Rose de Lima, économe, je vous rapporte la divine pauvreté, tombée en quenouille dans ce couvent. Il faut mourir le derrière sur la paille, mes sœurs. Comme le petit Jésus dans la crèche. Le royaume du ciel est pour le chat qui réussit à passer dans le trou de l'aiguille.

Malheur à nous, car le diable est descendu chez nous avec grande fureur.

La mère Marie-Clotilde est d'avis qu'on prévienne l'archevêché tout de suite, afin qu'il envoie le plus rapidement possible le grand exorciste pour désenvoûter le couvent. L'abbé Flageole s'y oppose formellement, préférant procéder lui-même aux cérémonies d'exorcisme.

Tout le mal vient de sœur Julie, c'est certain. Que savons-nous de cette petite sœur, entrée ici sans dot et sans curriculum vitae ? Elle se prétend amnésique. Et notre mère Antoine de Padoue, alors supérieure de notre couvent de Québec, a été bien imprudente d'admettre, sans référence aucune, cette fille dans notre sainte maison.

Mère Marie-Clotilde écrit, sur-le-champ, une longue lettre au sujet de sœur Julie, adressée à mère Antoine de Padoue, supérieure d'un couvent perdu à l'intérieur des terres, dans le comté de Lobinière.

En attendant la réponse, mère Marie-Clotilde échafaude des plans pour se défaire le plus discrètement possible de sœur Julie.

— Qu'elle retourne au monde, cette croix de mon directorat, anathème avec le monde dont elle n'aurait jamais dû sortir ! Ne vaut-il pas mieux qu'une seule de mes filles périsse et que toutes les autres soient sauvées ?

Les jours passent.

Sœur Julie ne fait déjà plus partie de la communauté. Retranchée de ses sœurs, telle une branche pourrie, privée de messe et de sacrements, ne s'en plaignant nullement, oubliée de tous, du diable et de Dieu, enfermée dans un réduit ripoliné, comme dans une armoire de toilette ; elle ne proteste pas. Vouée à l'ennui, pourrait-on croire, elle semble attendre que cela finisse. En réalité, sœur Julie espère une lettre.

C'est de sœur Gemma sans doute que nous viennent cette trêve et cette paix soudaine. Livide, bleuâtre, voyez comme elle supporte jusqu'à la lie les épreuves du couvent. Ses mains brûlées et coupées, ses chevilles enflées par tant de stations debout, à tourner nos brouets quotidiens, n'en peuvent plus. Ses narines délicates perçoivent l'arôme des viandes fades dans les entrepôts frigorifiques. Tandis que l'odeur âcre des crimes commis dans la maison lui brûle le nez et la gorge.

Depuis plusieurs jours déjà, elle ne peut plus s'alimenter. Une goutte d'eau suffit à lui donner la nausée. Tout contact la blesse, au point qu'on craint de hâter sa mort en la touchant du bout des doigts.

On l'entoure de pansements immaculés. On change deux fois par jour les draps de son lit. Elle refuse obstinément de voir le médecin. La seule pensée d'une présence masculine penchée sur son lit de malade lui est intolérable. Même l'aumônier lui semble porteur de germes redoutables. Plus que tout au monde elle craint que la main du prêtre, en lui donnant à communier, n'effleure sa bouche et ne l'engrosse. Des souvenirs de retraite lui reviennent du temps de son adolescence. « Des baisers lascifs » sur la bouche, n'est-ce pas ainsi qu'on fait les enfants, les fruits du péché ? Refuser les secours de la religion. Tout plutôt que de subir toute promiscuité terrestre. Se tourner irrémédiablement vers le ciel. Mourir d'inanition. Ni nourriture, ni eucharistie. Ah ! qu'il me délivrera de ce corps de mort ! Ne plus toucher à rien. Mourir, vide et creuse, comme une

143

jarre, en attente du feu de Dieu, la ravageant à loisir, l'anéantissant jusqu'à la dernière parcelle de son être.

Notre petite sœur Gemma est en train de mourir. Gardons-nous bien de la contrarier dans son désir de mort. Ce désir est saint et ne peut venir que de Dieu. Contentons-nous de lui apporter des roses blanches. Qu'elle ne mange, ni ne boive, ni ne communie, si tel est le bon vouloir de Dieu ! Encore un peu de temps et tout sera consommé. Préparons un linge blanc pour essuyer sa dernière larme et la dernière goutte de sueur perlant sur son front. Nous en ferons des reliques.

Les sœurs du Précieux-Sang, après trois cents ans de vie contemplative, dans l'ombre d'un couvent de pierre, dans la ville de Québec, accoucheront, au grand jour, d'une sainte dont la gloire rejaillira sur la communauté tout entière et la sauvera de la banqueroute où l'a précipitée la sœur économe. Nul ne se souviendra plus alors des derniers assauts du démon contre notre sainte maison, un instant en grand péril de mort et sauvée de justesse par notre sœur Gemma qui agonise doucement, dans la blancheur de ses draps frais.

L'aumônier se promet d'administrer l'extrême-onction à sœur Gemma, dès qu'elle sera trop faible pour protester. Il se tient à la porte de l'infirmerie, en surplis empesé et étole violette, une petite trousse noire à la main, avec le saint chrême, le coton et l'eau bénite. En attente de la fin de sœur Gemma.

Quant au Dr Painchaud, il n'a plus remis les pieds au couvent, depuis plusieurs semaines. Nous le ferons appeler, au dernier instant, pour qu'il constate le décès et signe le permis d'inhumer.

L'attente se traîne par tout le couvent. La règle est observée dans toute sa rigueur. Exercices religieux et travaux domestiques se suivent en bon ordre. Le silence est extraordinaire. L'ombre de la mort plane sur nous, nous glace et nous enchante.

La sœur infirmière, sa pénitence terminée, a repris son poste au chevet de sœur Gemma.

144

Un matin, l'infirmière remarque quelques petites gouttes de sang sur les lèvres de la malade. Tandis que celle-ci dort très paisiblement, un vague sourire sur sa face pâle.

Le mercredi matin des quatre-temps d'automne, le sang s'échappe en abondance de la bouche de sœur Gemma, coule sur son menton, sa gorge, tache sa chemise. Sœur Gemma semble miraculeusement reposée. Pour la première fois, depuis des semaines, elle peut s'asseoir dans son lit, sans l'aide de personne.

Le samedi des quatre-temps. La messe est célébrée dans la nuit du samedi au dimanche. Sous les voûtes d'azur et d'or s'élève le chant grêle des religieuses.

Nous vous en prions, Dieu tout-puissant.

Vous chantez avec des voix angéliques, mes sœurs, comme si vous ignoriez tout des profondeurs et des ténèbres de ce couvent ? Connaissez-vous bien la grande cuisine saturée de choux gras au moment où sonne minuit ? Avez-vous déjà tâté l'ombre étrange de ses recoins pleins d'ustensiles bizarres et bruyants ? Connaissez-vous le corridor étroit qui y conduit, coupé de marches et d'embûches de toutes sortes ? La porte lourde et épaisse de la cave froide, qu'on pousse avec effort, résiste et geint sur ses gonds, et peut se refermer sur vous à jamais, vous geler jusqu'aux os, comme de petites crottes. A moins que vous n'y mettiez une bûche pour l'entrebâiller et l'empêcher de retomber sur vous.

L'angoisse millénaire des bêtes nocturnes, efflanquées, en quête de proie et de sang. Leur ruse, leurs pas élastique, leur feulement sourd. Deux religieuses se glissent à l'instant même dans la chambre froide.

La richesse des saloirs, les jambons fumés pendus aux poutres, les poulets gelés, jaunes et grenus, les quartiers de bœuf, immenses, accrochés, les lapins éventrés, aux rognons pourpres, s'animent et rougeoient, comme des plaies fraîches, à chaque rayon projeté par une lampe de poche. La cave est pleine de lueurs sanguinolentes et jaunes qui vont et viennent, pareilles à des tisons.

Les yeux brillants de sœur Gemma ne clignent pas. Par deux fois, une compagne attentive lui passe une lampe sous le nez, pour s'assurer de son sommeil profond.

Hachette, tranchoir, scie à os ne sont pas de trop pour tailler une brèche substantielle dans la pièce de bœuf énorme et frigorifiée.

— Vous mettrez ça à dégeler entre vos cuisses, toute la nuit, ma sœur. Et demain matin vous vous régalerez, avant que la sœur infirmière ne vienne vous réveiller, avec le thermomètre et le bassin.

Le rire de sœur Julie éclate et résonne, fauve et sonore, dans l'air glacé.

Le lendemain matin, la sœur infirmière découvre sœur Gemma, stupide et égarée, comme au sortir d'une profonde ivresse. Elle est assise au bord de son lit, jambes pendantes, cuisses ouvertes, dégoulinantes de sang. Elle mastique avec effort une bouchée de viande crue, la passant d'un côté à l'autre de sa bouche édentée.

Sœur Gemma bredouille d'une voix traînante qu'elle voudrait se laver et changer de chemise. Elle insiste aussi pour qu'on lui rende son dentier qu'on lui a enlevé, comme aux mourants.

La prison de sœur Julie est fermée à double tour. Et la clef repose toujours au fond de la poche de mère Marie-Clotilde, passée dans un petit anneau. C'est pourtant dans la chambre de sœur Julie qu'on découvre, peu après, hachette et couteaux maculés de sang.

Le sourire de sœur Julie, perfide et satisfait, l'illumine de la tête aux pieds. Elle est debout au milieu de la pièce, toute nue et barbouillée de sang.

Sœur Gemma supplie qu'on l'attache sur son lit de mort afin qu'elle ne commette plus de péché mortel en rêve et ne se réveille plus au matin, la bouche pleine de viande crue et de vie nouvelle.

— C'est comme si je communiais de la main du démon lorsque je dors. Protégez-moi, mes sœurs ! Je veux mourir de faim, n'être plus qu'une âme légère, transparente, un oiseau blanc, une colombe...

— Vos idées de grandeur vous perdront, ma sœur. Et tout le couvent avec vous. Qui veut faire l'ange fait la bête, et vous l'avez bien prouvé, vous qui dévorez de la viande crue en cachette la nuit, comme une bête féroce.

Nous la gaverons de gruau, de bouillon de légumes et de blanc-manger. Nous la remettrons sur ses pieds plats et nous l'enverrons à la lingerie, coudre des boutons et faire des reprises invisibles. Qu'elle se taise ! Qu'elle s'efface ! Qu'elle disparaisse de notre vue ! Que le temps d'épreuve s'appesantisse de nouveau sur elle ! Nous allons mesurer sa résistance et calculer sa patience. Peut-être sœur Gemma sortira-t-elle grandie de cette nouvelle épreuve ? Peut-être l'aurons-nous, un jour enfin, notre douce sainte anémique, notre pluie de roses ?

Léo-Z. Flageole met la supérieure en garde contre ses rêveries dangereuses.

— Orgueil que tout cela, ma mère. Méfiez-vous. L'imposture nous guette tous, comme un oiseau de proie. Le Malin se joue de nous. Il fait flèche de tout bois. Récitons plutôt solennellement la prière écrite par le pape

Léon XIII, afin que nous soyons délivrés des mirages et des illusions de Satan.

Toute la communauté est réunie à la chapelle, les sœurs entassées les unes contre les autres dans une même attention, un même frisson de crainte.

La voix ferme et claire de Léo-Z. Flageole détache toutes les syllabes.

Prince très glorieux de la milice céleste, saint Michel archange, défendez-nous dans le combat contre les princes et les puissances, contre les dominateurs de ce monde de ténèbres, contre les esprits méchants répandus dans l'air...

L'abbé Flageole ne peut terminer la prière. Une force invincible le saisit à la gorge et à la poitrine, le ravage et l'étouffe, bloque toutes les issues des bronches et des poumons, en retire l'air, cherche le cœur de Léo-Z. Flageole pour le rompre. Silence mortel. Syncope. Puis la machine à vivre se remet en marche dans la cage thoracique. Soufflet de forge. Accordéon plein de couacs, de sifflements et de râles. Les vieilles côtes de l'abbé craquent, comme un navire dans la tempête.

Pendant plusieurs jours, Léo-Z. Flageole ne peut articuler une seule parole. Assis tout droit dans son lit, appuyé à une pile d'oreillers, occupé à chercher l'air nécessaire, il écrit de petits billets à mère Marie-Clotilde d'une écriture tremblante.

« Je cherche mon souffle à chaque seconde qui passe. Il faut écrire à l'archevêché pour le mettre au courant de ce qui se passe ici, le plus rapidement possible. Tout le mal vient de sœur Julie. L'exorciser sans tarder, la veiller de jour et de nuit, l'observer sans relâche, recommander aux sœurs surveillantes d'éviter de regarder sœur Julie dans les yeux. Qu'elles examinent aussi attentivement, chaque jour, ses mains et ses pieds, son ventre et sa poitrine, afin d'y déceler tout signe ou stigmate possibles. Il faut craindre tout symptôme suspect. Priez, ma révérende mère, pour que je ne meure pas suffoqué par une crise d'asthme dont la violence n'a d'égale que les fureurs de l'enfer. J'attends que vous écriviez à l'archevêché. Je signerai la lettre moi-même si Dieu m'en donne la force.

LÉO-Z. FLAGEOLE, P.S. »

Trois lettres importantes, marquées *urgent*, ont quitté le couvent des dames du Précieux-Sang. Toutes trois signées par l'abbé Flageole, mère Marie-Clotilde et la sœur assistante. L'une adressée à l'archevêché, l'autre à la mère provinciale et la première, il y a déjà plusieurs semaines, à mère Antoine de Padoue, comté de Lobinière.

Autant jeter des bouteilles à la mer. Quelque chose cloche dans l'organisation des postes (à moins que ce ne soit dans l'air même que l'on respire), nous empêche de répondre aux lettres et d'agir, nous livre à la torpeur propice aux enchantements pervers.

Mère Marie-Clotilde avoue que ce n'est pas tant la présence du Malin qui la gêne le plus ici, mais l'absence de Dieu.

Moi, Julie de la Trinité, je dors toute la journée, arrangée comme un fœtus, sur mon lit d'hôpital, les genoux au menton. Je puis ainsi remonter le temps jusqu'au jour lointain de l'eau intégrale répandue sur toute la terre. Ma mère me parle à travers un étang. Elle me dit que je possède un pouvoir, et qu'il faut que je l'exerce.

Je lève la tête. J'entrouvre mes yeux de couleuvre. J'aperçois entre mes cils les deux sœurs immobiles qui me gardent, égrenant leurs rosaires.

Je leur ferai apparaître mon frère Joseph, un instant, debout dans une encoignure de la pièce. Plus nu que le Christ sur la croix. Trop beau, sans doute, pour être un homme. Son corps entier, de la tête aux pieds, étiré comme une flamme haute. Des yeux immenses, transparents, si pâles. De longs cils noirs. Des cheveux noirs bouclés. Des dents blanches et fortes (que j'ai aussi et

149

qui viennent de Philomène et d'Adélard). La peau lisse.
La poitrine unie avec deux petits sous de cuivre en guise
de mamelons. Le ventre plat. La toison frisée, à peine
rugueuse. Le sexe, plus tendre et doux qu'aucune autre
douceur et tendresse de la terre, va se nicher dans mon
ventre, comme une hostie fondante dans mon palais. Ah,
quel rêve est-ce là ! Joseph rit. Il dit qu'il veut bien tout.
Mais pas ça. Jamais. Je ris. Je lui dis qu'il peut bien tout,
mais pas ça.

Il s'agit d'un mariage blanc, dans une chambre saumon.

Ne vous effarouchez pas, mes sœurs. Avant de quitter
la pièce au galop, mâchonnant des prières, vous pouvez
regarder sans crainte la suite de l'histoire. Maintenant
que je vous ai fait voir Joseph tout nu, debout dans un
coin, le pire est fait. Ne partez pas encore. Tout le reste
n'est que tendresse bizarre et fraternelle. Je vous ferai
visiter la chambre saumon. Et peut-être aussi tout le
chalet fermé pour l'hiver, si vous le désirez ?

Joseph aime que je le caresse et que je le berce entre
mes bras. Il dit *qu'il est un enfant merveilleux à bercer.*
Nous dormons collés, l'un sur l'autre, dans un lit
immense, sur un matelas Simmons, entre des draps
blancs, bordés de saumon. Toute la chambre de lattes
étroites est peinte en saumon brillant. Il y a des rideaux
de cretonne bleu et vert aux fenêtres. Une photographie
en couleur de Loretta Young est épinglée au mur de
droite. Vous avez remarqué son regard flou, son air
niais, ses lèvres charnues, peintes en rouge vif ? Et sur
la commode, le petit âne de faïence vert et jaune ? Il a
deux paniers accrochés à son bât, en guise de cendriers.
Une feuille d'érable lui cache l'œil droit.

Non, non, ce n'est pas la cabane. Ce ne sera plus jamais
la cabane. La cabane est morte. Il faut bien vivre ailleurs, selon d'autres lois, devenir des anges. (Oublier que
les fougères grillent sous mes pas.)

Les beaux adolescents sélectionnés par Dieu, à moins
que ce ne soit par l'Autre, pour garnir l'arche de Noé.
Ne vous y méprenez pas. Ce garçon et cette fille sont

des squatters. Ils n'ont pas osé ouvrir les volets. L'eau de la rivière clapote sous les fenêtres. On entend parfois un poisson sauter en l'air et retomber dans l'eau calme. L'hiver, on écoute les clous péter de froid dans les planches du toit et des murs. L'hiver, c'est facile de trouver un chalet inhabité et de s'y réfugier, en toute sécurité. Il n'y a qu'à ne pas abuser du chauffage. A cause de la fumée dans la cheminée qui pourrait trahir le jeune ménage encabané là. Il y a plein de conserves sur les tablettes des cuisines et de merveilleux ouvre-boîtes dans les tiroirs.

L'été, la fille et le garçon épient les propriétaires des chalets dissimulés dans la forêt. Tout le long de la rivière et des vacances, bien cachés dans les buissons, ils suivent des conversations entières ou des bribes de phrases, les murmures et les tempêtes. Les propriétaires des chalets mangent et boivent beaucoup et souvent. Ils se baignent dans la rivière en poussant de petits cris, s'enferment le soir pour placotter et jouer aux cartes. Leurs ombres passent dans la lumière orangée des fenêtres.

Tout l'été, le frère et la sœur traînent leur sac de couchage, dorment à la belle étoile, se confondent avec la terre de la forêt, se camouflent de terre et de branchages, se couvrent de feuilles, s'imbibent de pluie ou de soleil. Ils éprouvent la forêt comme leur propre corps. Quelle vie est-ce là ! Pêcher, chasser, être chassés, poursuivis comme du gibier. Au village, on les appelle les enfants sauvages. Une prime est offerte à qui les capturerait. Tant de vols avec effraction dans les chalets des vacanciers. Tant de pièges, visités et pillés, l'automne, dans la forêt, lièvres et lapins sortis des collets, escamotés par des mains expertes.

Le premier qui se fait prendre, c'est Joseph. Ça devait arriver. Il aime trop à fouiner du côté du village. L'église surtout l'attire et l'éblouit. L'odeur des cierges et de l'encens le pâme. Le seul mot de péché prononcé du haut de la chaire par le curé le plonge dans des abîmes de réflexion, des extases terribles. Il aime surtout quand le curé prêche sur la fin du monde. Le partage des bons et des méchants l'enchante. Il se promet d'être du côté des bons et jure d'entraîner sa sœur avec lui sur la route étroite.

Le soir venu, il boit de la bière trouvée dans des réfrigérateurs inconnus, en compagnie de sa sœur maraudeuse comme lui.

Joseph vante la beauté des cérémonies religieuses, la liturgie, les vases sacrés, les ornements sacerdotaux, l'eau bénite, le saint chrême du salut, les chapelets de bois noir ou de verre coloré, les signes de croix, les génuflexions, le latin, le chant grégorien, le calme du célébrant et des assistants. Rien, en somme, qui rappelle la frénésie des cérémonies de la montagne de B... Et pourtant, c'est le même départ léger de soi-même, la même envolée vers les délices étrangères. L'au-delà touché, dans la douceur et la bonté cette fois-ci. Joseph revient toujours à la bonté. Il a des larmes dans les yeux en parlant de la bonté. Il dit qu'il est né dans un monde mauvais. Seule autour de lui, sa sœur Julie, si elle avait bien voulu s'en donner la peine, aurait pu devenir tout à fait bonne et sainte, quoiqu'elle ait été initiée très jeune et complètement pervertie par...

Il pleure et se mouche avec ses doigts.

La mortelle douceur des larmes. Voyez comme la fille se soumet, s'agenouille aux pieds de son frère, le supplie de l'aimer toujours et de la bénir, baisse la tête pour qu'il lui passe autour du cou la ficelle avec la médaille de l'Immaculée Conception.

Le charme de Joseph est tel que, la corde au cou, Julie ne peut que se soumettre aux magies rivales prônées par son frère. (Ou feindre de s'y soumettre.) Devenir un ange avec lui. Pour lui. (Ou faire semblant de devenir un ange.) Se convertir. Chasser d'entre ses côtes le joyeux démon qui lui sert de cœur.

La vie de ménage est étrange et feutrée. Le frère et la sœur évitent à présent de se frôler de trop près.

Julie regarde Joseph de plus loin, semble-t-il. Pareille à certains oiseaux (possédant le même privilège qu'eux),

152

elle rabat une paupière translucide sur ses yeux cuivrés. Julie devient lointaine, séraphique à souhait. Sa peau ne rayonne pas plus qu'une lampe éteinte. La nuit, pour dormir, elle s'affuble d'un vieux pyjama d'homme découvert dans un tiroir de la commode. Joseph s'endort, la tête sur l'épaule de Julie. Il mâchonne en rêve le coton bleu à rayures du pyjama.

Mon cher petit garçon, mon doux petit Jésus ! Rassure-toi. Je suis ta sœur de lait, de lit et de miséricorde. Dors en paix ! Je ne fais qu'effleurer (pour ton plus grand bien et pour le mien), du bout des doigts et des lèvres, toute ta peau, depuis la racine de tes cheveux jusqu'aux ongles de tes pieds.

Joseph quitte brusquement la chaleur du lit, se précipite dehors. Je l'entends gémir sur la galerie.

Il rentre, me traite de maudite et de sorcière, se couche par terre, près de la porte d'entrée, le corps en chien de fusil. Il jure que jamais il ne sera « initié », ni par Philomène, ni par moi, ni par aucune autre femme.

— Aucune bougresse de sorcière ne m'aura vivant !

Il pleure de nouveau et passe toute la nuit couché sur le plancher, loin de moi. Je pleure aussi, toute seule dans le grand lit aux draps roses.

Au matin, lorsque j'ouvre les yeux, Joseph est parti.

Il est revenu après trois jours et trois nuits d'absence. Tondu, lavé, désinfecté, habillé en soldat. Une odeur suffocante de savon Life-Buoy et de magasin militaire l'enveloppe des pieds à la tête.

Le sergent recruteur lui a promis qu'à l'armée on lui apprendra à lire et à écrire, et l'anglais, et la religion catholique romaine par-dessus le marché. Mais le plus extraordinaire, c'est que, pour une piastre trente par jour, on a demandé à Joseph d'aller combattre le diable dans les vieux pays.

— De l'autre bord de la rivière que ça se trouve. Y s'appelle Hitler. Y paraît qu'y met tout à feu et à sang par là. C'est l'antéchrist qu'y disent.

Bien que je ne sois pas très sûre que le diable ne se

trouve pas encore de ce bord-ci de la rivière (caché dans un coin obscur de la montagne de B...), j'ai accepté de le trahir et de le renier tout à fait, afin qu'il n'arrive aucun mal à Joseph dans les vieux pays.

— Toute personne, en cas de nécessité, peut et doit baptiser.

Joignant le geste à la parole, Joseph me baptise dans l'eau de la rivière. J'incline la tête et regarde attentivement les cailloux au fond de l'eau, comme à travers une huile verte, très claire.

— Je te baptise au nom du Père, du Fils et du Saint-Esprit.

Un bon moment, Joseph me tient la tête sous l'eau, jusqu'à ce que j'étouffe.

« Pour tes péchés, ma belle, pour les miens et pour ceux du monde entier.

Une seule femme lui tient lieu de famille à ce garçon maigre. Epouse, mère, fiancée, grand-mère et cousine. Je suis tout cela à la fois. Joseph jure qu'il n'y aura jamais personne d'autre dans son cœur, mais qu'il va me falloir payer en conséquence durant toute la guerre.

Je serai la femme intégrale, la victime totale, l'ange gardien, la sœur tutélaire. Tricoter. Prier. Me sacrifier pour dix, pour cent. A la place de toutes les femmes qu'il ne connaît pas (et devrait connaître), avec leur amour caché et leur éternel tricot de laine kaki entre les mains.

Le regard de Joseph s'attarde au loin, ressemble à ces cailloux du fond de la rivière, embués de liquide olive, et pourtant durs et opaques, gris.

Dans le bureau de mère Marie-Clotilde de la Croix, supérieure des dames du Précieux-Sang.

— Non, non, ma mère, ce n'était pas le Christ ! Ni saint Sébastien percé de flèches. Il n'avait pas de linge du tout autour du ventre. Il était tout nu. Le pan du mur derrière lui était rose saumon. Comme un coucher de soleil, une lueur d'incendie.

— C'est sœur Julie qui l'a fait apparaître sur le mur, avec la lueur rose.

— Puis elle l'a fait disparaître d'un seul signe de la main.

— Elle l'a caressé.

— Elle l'a embrassé.

— Elle a même continué après sa disparition à faire comme s'il était encore là, invisible et présent.

— Je crois qu'elle lui parlait.

— On n'entendait pas ce qu'elle disait, mais on voyait bien ses lèvres remuer.

— Ses mains, ses bras, ses pieds bougeaient aussi.

— On avait l'impression qu'elle vivait ailleurs toute une vie extraordinaire.

— Le geste de porter un morceau de pain à sa bouche.

— De boire.

— Le geste de s'habiller, de se déshabiller.

— De monter et de descendre un escalier.

— De pleurer et de rire.

— Sans aucun son ni vraies larmes dans les yeux.

— Des espèces de grimaces.

— Les yeux toujours fixes comme une somnambule.

155

— La sœur Ignace de Loyola a tout vu, comme moi.

— Oui, ma mère, j'étais là avec sœur Jean Chrysostome pour garder sœur Julie. J'ai tout vu avec elle, comme elle.

— On ne pouvait plus bouger du tout ni même baisser les yeux.

— On mourait de peur, mais on était figées toutes les deux par la peur et par quelque chose de plus effrayant que la peur, ma mère... Par le plaisir, le plaisir effrayant devant la beauté infâme de l'apparition.

— Je le confesse, ma mère, je n'ai jamais été plus heureuse de ma vie depuis ma première communion.

— Petites malheureuses ! C'est le Diable qui vous a séduites par l'entremise de sœur Julie ! Courez bien vite vous confesser toutes les deux, et priez saint Michel *qu'il vous défende dans les combats afin que vous ne périssiez pas au jour terrible du Jugement.*

Mère Marie-Clotilde a terminé sa phrase solennellement en lisant dans son missel l'alléluia de la messe du 29 septembre, dédiée à saint Michel archange.

Des rafales de vent font craquer la charpente du couvent, cognent contre les lourdes portes verrouillées. Les arbres du petit jardin des sœurs sont tordus et secoués. Ici et là, des fenêtres s'ouvrent sous la poussée violente des courants d'air, battent à qui mieux mieux, pendant que les petites sœurs courent d'un étage à l'autre pour les refermer. Un peu partout, au réfectoire, à la roberie, dans les salles d'étude et de réunion, à la cuisine, à la buanderie, à la sacristie, à la chapelle même, des objets sont jetés à terre, cassés et brisés. Bientôt, la pluie en larges gouttes sonores cingle les vitres.

Trois heures de l'après-midi. Le ciel est noir comme de l'encre. Avant même que le premier éclair violet ne surgisse, mère Marie-Clotilde, debout dans son petit bureau lambrissé de chêne, éprouve, non sans une douceur surprenante, la certitude absolue de l'état de possession du couvent. Tandis que les sœurs se répètent de bouche à oreille, dans un murmure, que la tempête a bel et bien commencé dans la pièce où est enfermée sœur Julie. Alors que tout était silencieux au-dehors et au-dedans, n'a-t-on pas entendu les bocaux de pharmacie rouler à terre et se briser, à l'appel même du cri de rage que sœur Julie a poussé en apprenant que la femme de son frère était enceinte ? A ce moment-là, tout était encore calme dans la ville et dans le jardin des sœurs. Trop calme sans doute, comme pétrifié dans l'attente d'une catastrophe. Seule la température doucereuse et le dégel, inattendu en cette saison, nous plongeaient déjà dans un état anormal d'abattement et de langueur.

— Un orage électrique ! En plein mois de janvier ! C'est pas croyable, ma sœur !

> *Parce, Domine,*
> *parce populo tuo :*
> *ne in aeternum*
> *irascaris nobis.*

La supérieure a envoyé toutes ses filles valides prier et chanter à la chapelle, afin de les rassurer et de les apaiser quelque peu, et tenter de conjurer le sort. Tandis que l'orage augmente d'intensité et de fureur, ainsi que le vacarme dans la chambre de sœur Julie.

Une lettre de l'archevêché est arrivée ce matin, en même temps que la lettre du frère de sœur Julie, annonçant qu'un heureux événement...

Dans la lettre de l'archevêché, le grand exorciste demande à l'abbé Flageole de communiquer par téléphone avec son secrétaire, afin de préciser certains détails concernant le cas de sœur Julie.

Depuis hier, elle n'a pas dormi ni mangé ni fait ses besoins. Elle refuse même de boire. C'est ce qu'affirment les deux nouvelles sœurs chargées de surveiller sœur Julie.

Un escabeau a été placé dans le corridor, contre la porte de sœur Julie. Tour à tour, juchées sur la dernière marche, les sœurs examinent à travers la vitre du vasistas les faits et gestes de sœur Julie. Elles ont inventé un système ingénieux de poulie, de cordes et de petits paniers pour ravitailler sœur Julie et la débarrasser, à mesure, des assiettes sales et des pots de chambre.

Les deux sœurs de garde sont parfaitement d'accord sur ce point. Avant même que n'éclate l'orage au-dehors, les bocaux et les fioles de pharmacie, empilés sur les tablettes, se sont mis à voltiger en tous sens dans la pièce, comme projetés par un vent furieux. Ils ont éclaté en plein vol, puis sont retombés par terre en mille miettes.

Plus moyen d'en douter à présent, l'épicentre de cet

orage tropical en plein mois de janvier se trouve bel et bien situé entre les murs des dames du Précieux-Sang, dans la pharmacie, plus précisément, là où est enfermée sœur Julie de la Trinité.

La pluie devient très vite verglaçante. La ville est jonchée de branches d'arbres cassées, de débris de toutes sortes. Il n'y a plus ni téléphone ni électricité. Les fils se sont rompus sous le poids du verglas. Toute une ville en cristal cliquette dans le vent, comme un lustre fêlé. Quelques créatures non identifiables, têtes rentrées dans les épaules, bras au corps, glissant, pataugeant, courent à la recherche d'un abri. Deux d'entre ces créatures seront saisies au passage par l'appel muet de sœur Julie, postée à sa fenêtre comme un aimant. Tout d'abord, le Dr Painchaud. Ensuite, Marilda Sansfaçon.

Léo-Z. Flageole respire de plus en plus difficilement depuis qu'il a constaté que le téléphone du couvent est coupé. Il lui faut donc agir vite et seul, sans le secours du grand exorciste, hors d'atteinte, dans la tempête.

L'abbé a passé l'étole et la chape violette. Il a préparé l'eau bénite et le rituel de l'exorcisme. Mère Marie-Clotilde a fait allumer des cierges bénits dans le corridor. Un deuxième escabeau est placé contre la porte de la pharmacie. L'aumônier et la mère supérieure collent leurs visages sur la vitre du vasistas.

Sœur Julie marche sur les tessons qui jonchent le plancher, sans en ressentir aucun mal, semble-t-il, bien que ses pieds soient écorchés et saignent.

Ses mouvements sont désordonnés. Jetée toute vive dans un monde invisible, elle revit en quelques minutes toute son existence dans la montagne de B...

— Joseph est un ange ! Il m'aime comme un ange !
Elle hurle d'une voix de tête :
— Il m'a trahie comme un salaud !
Elle déchire ses vêtements, les jette à terre, les piétine et dessine des signes sur tout son corps et son visage, avec son propre sang, à pleines mains, avec la cendre noire qu'elle extrait de son scapulaire de feutre, après

l'avoir déchiré avec ses dents. Elle danse et se contorsionne. Elle clame qu'elle est une renarde rousse et que le renard, « par l'odeur alléché », désire danser avec elle. Elle est si vraie et convaincante que le renard est présent là, dans la pièce, avec elle, bien qu'invisible. Elle exécute des pas de danse que *l'autre*, en face d'elle, mime aussi. Mère Marie-Clotilde et Léo-Z. Flageole perçoivent des pas légèrement griffus, en face de sœur Julie, suivant sœur Julie dans chacun de ses mouvements rythmés.

— C'est le fox-trot, mes sœurs, interdit sous peine de péché mortel, dans tout le diocèse de Québec, par le cardinal lui-même !

Elle pousse un cri strident.

— Attention ! Ils vont se marier sous vos yeux ! Les deux fox-trotteurs ! Joseph et sa Piggy-Wiggy d'Anglaise !

Sœur Julie fait volte-face, se secoue, comme si elle rejetait un poids inutile.

— Regardez donc, mes révérends, comme la Piggy secoue son Joseph de mari et pour cause...

Elle s'étrangle de rire. La voici assise sur le plancher parmi les tessons de verre. Elle s'applique silencieusement. On pourrait croire qu'elle tient entre ses mains une longue corde et fait des nœuds très serrés dedans. On entend siffler la corde glissant sur ses cuisses.

La voix étouffée de Léo-Z. Flageole souffle contre la coiffe empesée de mère Marie-Clotilde.

— Le nouage de l'aiguillette est un maléfice qui empêche le nouvel époux d'administrer le sacrement de mariage à sa nouvelle épouse. C'est un crime abominable, condamné par tous les théologiens. Heureusement que je suis là.

L'aumônier soupire d'aise, évoque avec délices toutes ces longues nuits où, penché sous sa lampe de travail, de fins ciseaux de brodeuse à la main, il s'est ingénié à défaire, un par un, les nombreux nœuds que sœur Julie avait accumulés sur la corde de chanvre qui lui tient lieu de ceinture, selon les prescriptions vestimentaires des dames du Précieux-Sang.

160

L'abbé entre en scène à son tour. Il sort de sa poche la ceinture de sœur Julie. C'est sœur Jean Chrysostome qui la lui a remise à sa demande. Etole et chape violette. Il lance à sœur Julie la corde toute lisse, débarrassée de ses nœuds.

Sœur Julie fait un saut de côté, comme si elle voyait un serpent tomber à ses pieds. L'abbé ne se tient pas de joie devant cette femme qui a peur de lui, de son pouvoir supérieur. Un partenaire est donné à sœur Julie dans son délire. Elle se retourne contre lui, l'accepte comme ennemi, désire le détruire sur-le-champ. Les mains fortes de sœur Julie serrent la gorge de Léo-Z. Flageole.

Mère Marie-Clotilde appelle au secours, arrachée au théâtre de sœur Julie qu'elle suivait jusque-là passionnément, debout dans l'embrasure de la porte.

Pareille à un enfant qui abandonne un jouet pour un autre, sœur Julie se détourne de l'aumônier à moitié asphyxié, tandis que la supérieure emmène l'aumônier et referme la porte à double tour.

Sœur Julie est aussitôt envahie par la mort de Philomène brûlée vive.

Elle se débat contre le feu et la fumée, pousse des cris, tousse et s'étouffe, se couvre de plaies et se tord de douleur. Une voix étrangère raille à travers son ventre brûlé.

— Il faut que la sorcière meure dans le désespoir. C'est elle ! C'est ma mère. C'est moi. Je suis elle et elle est moi. Je brûle ! C'est mon tour à présent.

Sœur Julie se traîne à la fenêtre, regarde à travers les barreaux ce qu'en réalité on ne peut apercevoir du deuxième étage. Sœur Julie appelle qui elle ne voit pas, qui elle sait être là, sur le trottoir, attendant d'être appelé, afin de venir habiter de plain-pied avec elle l'espace étroit de sa possession.

Depuis le début de la tempête, Jean Painchaud n'a pas cessé de penser à sœur Julie de la Trinité, comme à quelqu'un qui se débat au milieu de la tourmente.

Vers cinq heures, il quitte l'hôpital et se dirige vers le couvent, sous des rafales de vent, des trombes d'eau et de grésil. Les rues étroites et en pente ressemblent à des patinoires criblées de trous.

Ni sœur tourière, ni mère supérieure, ni aucune cornette papillonnant dans les corridors. Au loin, venant de la chapelle, des voix de femmes entonnent un psaume de pénitence. Le docteur va droit à la pièce où l'on tient sœur Julie prisonnière depuis plusieurs mois. La clef est sur la porte.

Il lui parle et elle paraît ne pas entendre. Il touche du doigt le globe de son œil sans qu'elle cille. Il voit ses brûlures.

Hors d'atteinte, cette créature est hors d'atteinte, retranchée en elle-même, réduite au noyau le plus dense, le plus étroit d'elle-même. Elle vit mille morts et mille vies, loin de nous.

Le docteur se demande si une vive émotion venue de l'extérieur ne pourrait pas sauver sœur Julie, la ramener sur la terre ferme, en pleine vie normale et ordinaire, là où l'amour d'un homme ordinaire comme lui, Jean Painchaud, serait un cadeau du ciel. Il se penche sur sœur Julie, veut lui avouer qu'il l'aime comme un fou et qu'il la désire comme un homme, en pleine lumière, en pleine réalité. Il la secoue par les épaules pour la réveiller.

— Il faut sortir de ce couvent ! Il le faut ! Il le faut !
Tout de suite ! Vite !

Sœur Julie le regarde entre ses cils. Elle le supplie de
s'approcher encore plus près, de panser ses blessures,
de respirer contre sa bouche le souffle de sa détresse.
Sa voix pressante, à peine audible, ressemble à celles des
morts se lamentant sous terre. Elle assure que seul le
contact direct d'une peau saine et compatissante pourrait
le guérir de ses plaies.

Le docteur se penche sur sœur Julie. Ses grandes mains
fraîches et grasses, de plus en plus fiévreuses, caressent
le corps blessé de sœur Julie. Il éprouve, à la limite de
ses forces, toutes les plaies de sœur Julie, comme si elles
étaient siennes. Doucement, il glisse avec sœur Julie,
dans son enfer à elle. Jamais il ne pourra ramener
cette femme sur la terre habitable. C'est elle plutôt qui
l'entraînera dans un gouffre.

La voici, telle qu'elle vit au plus profond des cauchemars de Jean Painchaud, superbe et maudite. Il n'a que
juste la force de se relever et de reculer vers la porte.
Deux yeux jaunes le regardent fixement. Une voix
s'échappe du ventre de sœur Julie, se moque et ricane.

— Cher trésor des âmes pieuses. Le corps mystique
de Satan, c'est moi. C'est toi. C'est nous. Tu te damnes
à ma place, et c'est extraordinaire comme je me sens
bien à présent. Merci, cher cœur.

Sœur Julie soudain guérie, lisse et blanche, s'étire sur
son lit comme une chatte au soleil. Les mains du docteur sont pleines de vésicules suppurantes, pareilles à
celles produites par une herbe vénéneuse.

Au plus fort de l'orage, Marilda Sansfaçon, trempée comme une loutre au sortir de l'eau, a cherché refuge chez les dames du Précieux-Sang.

Ni la mère supérieure, ni la mère assistante, ni la sœur tourière ne se sont doutées de rien au sujet de cette femme. Elle avait un manteau noir en seal, des bottes noires garnies de fourrure, un nez long, des petites lunettes cerclées d'or, des mains blafardes, aux ongles teints en rouge. Environ quarante ans. Elle s'est assise, toute droite et raide, sur une des petites chaises du parloir, les genoux serrés. Durant quelques instants, elle ramène sans cesse les pans de son manteau sur ses genoux. Elle a ôté de son nez ses petites lunettes couvertes de pluie et de givre, les a soigneusement essuyées, puis les a remises en place. Elle a poussé un soupir de soulagement et a commencé de se détendre. Elle a ouvert son manteau. Sa robe de satin noir est très courte, fendue sur le côté. Son parapluie, complètement retourné, s'égoutte sur le parquet sans que personne s'en soucie. Elle sent le tabac, le gin et le parfum bon marché. Sa voix est basse et éraillée, très excitée.

— Qui c'est qui est là, dans la fenêtre au deuxième étage de votre maudit couvent ? Qui c'est qui regarde dans la rue pour me forcer à lever la tête en passant ? Qui c'est qui m'appelle avec une voix d'outre-tombe, moé, Marilda Sansfaçon ?

Le corps trop court est affalé sur la chaise, les jambes interminables s'étendent dans l'allée du parloir.

Elle s'embrouille et se met à tousser. Elle parle de la

tempête et de cette femme aperçue à la fenêtre, parfaitement distincte dans le tonnerre et les éclairs, ainsi qu'en plein jour, sa figure toute blanche, son dos tout blanc. Car la femme dans la fenêtre tournait sur elle-même, comme une toupie, se baissait, se levait, montrait sa tête ou son derrière plein d'éclairs.

La femme au manteau de seal pleure à chaudes larmes. Elle assure que la créature, là-haut, au deuxième étage, ressemble à... qui ? tout le monde le sait, est accotée avec le diable et que... dans le temps, chez Georgiana, elle lui volait tous ses clients.

Il faudrait saisir cette femme avec les pincettes pour ne pas se salir les mains et la rejeter à la rue le plus rapidement possible. Et pourtant mère Marie-Clotilde interroge :

— De qui voulez-vous donc parler, ma fille ?

— Je ne suis pas votre fille. Dieu merci. J'ai jamais eu de mère, mais j'aime encore mieux ça que...

Elle rit et s'étouffe. Elle se remet à pleurer.

— Le plus effrayant, ma révérende, c'est que la face de créature là-haut dans la fenêtre s'est allumée tout d'un coup, comme un tison, pis est devenue noire, comme du charbon, pareille comme l'autre de chez Georgiana, qui est morte, brûlée dans sa cabane, à ce qui paraît.

La voix, de plus en plus altérée, de mère Marie-Clotilde s'obstine.

— Où se trouvait cette cabane ? Dans quelle région ? Quelle paroisse ? Le savez-vous, ma fille ?

— Quelque part en campagne, du côté de... je sais plus, moé. Son boss s'appelait Adélard, ça, je me rappelle ben... Adélard.

Le nom d'Adélard provoque une nouvelle crise d'hilarité et de toux.

— Vous êtes ivre, ma fille, et vous avez des visions.

— Ce qui me crucifie le plus, ma révérende, c'est pas les visions, c'est de perdre la mémoire des noms. Mais je vas chercher. Je vas revenir icite avec tous les renseignements que vous voulez, quand vous voudrez, je vous le promets.

— C'est par ici la porte, ma fille,

dit la sœur tourière qui fait tinter son trousseau de clefs.

— Je reviendrai un autre jour, avec tous les renseignements. Je vous ferai un prix. Mais pour le nom d'Adélard que j'ai trouvé, c'est cinq piastres, ma révérende, cash.

Une femme de mauvaise vie a été poignardée sur la côte de la Canoterie, dans la nuit de samedi à dimanche. On soupçonne un soldat de ses familiers d'être l'auteur du meurtre. L'homme s'est embarqué hier à Halifax en route pour le front, somewhere in England.

La nouvelle cuisinière des dames du Précieux-Sang prétend qu'on lui a dérobé un couteau de cuisine bien effilé. On a retrouvé le couteau sous le lit de sœur Julie.

La lame du couteau brillait, soigneusement astiquée. La robe de sœur Julie, mouillée par larges plaques, s'égouttait, suspendue à un clou, près de la fenêtre. Sur le mur, toujours accrochée, la photo du mariage de son frère. Le ventre de la mariée est criblé d'épingles. Le marié porte au côté gauche une déchirure faite au couteau.

Si je ne mets mes doigts dans la blessure de son côté, je ne croirai pas, gémit sœur Julie. Elle roule sa tête sur l'oreiller. Elle supplie quelqu'un d'inflexible, dans l'ombre, d'arrêter la machine qui déjà est en marche de l'autre côté de l'Atlantique.

Voici que sœur Julie réussit à attirer à elle l'image lointaine de son frère, avec tout autour l'air et le lieu où il se trouve, tel un jeune arbre que l'on déracine avec toute la terre indispensable. Il y a des tablettes pleines de bouteilles et de verres alignés. Un bout de comptoir brille, métallique et nu. Des tabourets noirs. On entend un disque qui tourne au ralenti et s'essouffle. Sœur Julie se dédouble, danse avec son frère habillé en soldat et se voit danser avec lui, dans un pub londonien sombre et désert, un slow interminable et funèbre.

Joseph vit, mais son visage est empreint d'une telle tristesse que sœur Julie comprend tout de suite que le premier des malheurs vient d'arriver.

Il faudrait le consoler, ce garçon, être bonne et douce avec lui, compatissante à l'infini. Mais le moindre geste de la part de Julie peut provoquer la suite de l'histoire déjà décidée à l'intérieur même du corps de Joseph qui s'apprête et s'organise, selon le plan prévu, en vue de recevoir une balle en plein cœur.

Il m'a regardée, une fois, une seule fois. C'est intolérable. Il dit que sa femme et l'enfant sont déjà morts.

Le ciel est bleu. La neige et la glace étincellent au grand soleil. L'air est très doux. Pas un souffle de vent. Les camions de la ville vont et viennent, sont chargés à mesure d'arbres arrachés, de branches et de toutes sortes de débris, accumulés par la tempête.

Depuis ce matin, les fils électriques et téléphoniques ont été réparés. Les dames du Précieux-Sang sont à nouveau raccordées à la ville.

C'est un petit télégraphiste qui apporte des nouvelles pour sœur Julie. Le télégramme est signé : Joseph. Il annonce la mort de Piggy et de son enfant. Pour le second des télégrammes, il faudra attendre que la bataille de Cassino soit tout à fait engagée dans sa phase la plus furieuse et la plus meurtrière.

Piggy-Wiggy, te voilà bien avancée. T'avais ben en belle, ma belle cochonnette d'Anglaise. Sœur Julie est jalouse comme une tigresse. Il ne fallait pas la défier, lui prendre son unique amour, ni surtout assujettir ce pauvre Joseph au devoir conjugal. Conçu dans d'aussi déplorables conditions, il n'est que juste que l'enfant mort-né, sans nom ni baptême, soit rejeté dans les limbes d'où il n'aurait jamais dû sortir.

Heureusement que la joie féroce qui présida autrefois à la vie de sœur Julie persiste, malgré la religion et le temps. Cela empêche sœur Julie de trop s'attendrir sur la mort en couches de sa belle-sœur et de son enfant. Dispensée de tout deuil, elle rit franchement à la face de mère Marie-Clotilde venue offrir ses condoléances.

Le grand exorciste est là. Il a demandé à voir les pièces à conviction. La ceinture de sœur Julie a été soigneusement examinée à la loupe pour y déceler la marque des nœuds défaits par l'abbé Flageole. Deux photos retiennent l'attention du grand exorciste. L'une d'elles, trouée de coups d'épingles, représente deux jeunes mariés. L'autre, découpée dans un journal, montre un visage de femme hilare et maquillée. La légende dit que cette femme a été assassinée sur la côte de la Canoterie.

— Cette femme avait promis de nous rapporter des renseignements très précieux concernant le passé de sœur Julie.

Mère Marie-Clotilde est interrompue par la voix sifflante de Léo-Z. Flageole.

— Sœur Julie de la Trinité a tenté de m'étrangler au cours d'une crise de fureur, moi, l'aumônier du couvent, homme de Dieu et prêtre consacré.

— Tous les moyens ordinaires, prières, jeûne, pénitence, médecines, ont-ils été employés pour délivrer sœur Julie du mal qui la possède ?

La voix du grand exorciste est calme, veloutée, monotone, légèrement méprisante.

Il a demandé à voir sœur Julie.

Coiffe, voile, cornette, guimpe, barbette, scapulaire, elle a pieusement revêtu les vêtements angéliques du grand apparat de son ordre. Ce qui n'est pas pour déplaire au grand exorciste très sensible à la beauté des costumes religieux. Elle s'est agenouillée aux pieds du grand exorciste qui l'a entendue en confession. Elle a reçu l'absolution et fait sa pénitence, les yeux baissés, les mains cachées dans ses larges manches.

Rien que des péchés véniels, des vétilles de bonnes sœurs, pense le grand exorciste ! Il n'y a pas de quoi crier au diable, mais, puisque l'évêque l'ordonne, nous l'exorciserons, cette belle personne, et tout le couvent avec elle, l'abbé Flageole en tête, afin que s'apaise le vent de folie qui souffle dans la maison.

Le grand exorciste feuillette de la main droite le dossier écrit par l'aumônier, de sa petite écriture saccadée. Les sortilèges de sœur Julie y sont racontés en long et en large. Envoûtements, nouage de l'aiguillette, mauvais œil, prunelles de louve, plaies et stigmates, sorts jetés dans tout le couvent. Le grand exorciste s'ennuie. De sa main gauche, il pince l'étoffe de sa soutane avec chagrin. Le plus grand malheur de cette guerre n'est-il pas de priver le haut clergé des merveilleux tissus italiens et de la coupe élégante des tailleurs romains ?

L'exorcisme a lieu en grande pompe à la chapelle, en présence de toute la communauté.

Le grand exorciste rasé de près, revêtu d'un surplis de dentelle d'Irlande et d'une étole de satin violet, met une autre étole (de tissu plus commun) sur les épaules de sœur Julie qui tient un cierge allumé à la main. Elle est aussitôt copieusement aspergée d'eau bénite et s'ébroue dans des nuages d'encens. Les orémus succèdent aux orémus. La communauté tout entière récite les litanies des saints, entonne le *Veni Creator Spiritus*.

Le grand exorciste met la main droite sur la tête de sœur Julie agenouillée. Un autre orémus. Puis le grand exorciste fait avec le pouce de la main droite le signe de la croix sur le front, sur les yeux, sur les oreilles, sur les narines, sur la poitrine de sœur Julie.

Signum crucis Christi, signum Salvatoris Domini nostri sit in fronte tua ; ut confidas in eo.
Benedico oculos tuos ut videas claritatem ejus.
Benedico aures tuas, ut audias verbum veritatis.

Benedico nares tuas, ut recipias odorem suavitatis.
Benedico pectus tuum, ut credas in eum.
Benedico os tuum, ut confitearis illi, qui in Trinitate
perfecta vivit et regnat Deus, per omnia saecula saecu-
lorum.

— *Amen,* répond sœur Julie qui, sous ses attouche-
ments légers, pareils à des pattes de velours, éprouve une
douce chaleur qui la pénètre et lui donne l'air d'une
bienheureuse aux pieds de son sauveur. C'est pourtant
de sœur Julie elle-même que s'échappe un enchantement
qui gagne aussitôt le grand exorciste et le ravit. A chaque onction qu'il fait sur sœur Julie, il croit sentir passer sous ses doigts délicats toute la moelleuse opulence
des tissus les plus beaux et les plus fins d'Europe, d'Amé-
rique, d'Afrique et d'Asie ; tout comme si sœur Julie
(débarrassée de son âme éternelle et de son corps de
mort) se trouvait subitement changée en un ballot
d'étoffes somptueuses.

Le grand exorciste est reconnaissant à sœur Julie de
lui éviter ainsi, au cours de la cérémonie, tout contact
physique, si éprouvant pour des doigts d'exorciste.

Le grand exorciste se couvre la tête. Il interroge en
français sœur Julie de la Trinité. Il lui demande, selon
le rituel, ce qu'elle a fait et quelle a été sa conduite au
couvent durant ces derniers mois.

Sœur Julie récite, d'une voix perceptible au seul grand
exorciste :

— L'avent est déjà commencé pour moi, mon révé-
rend. Je suis enceinte et ne sais au juste quand je devrai
accoucher. Faites-moi bien vite sortir de ce couvent, car
le scandale est proche.

Le grand exorciste jette de l'eau bénite sur sœur Julie.
Il lui met du sel bénit dans la bouche.

Deum, qui te genuit, dereliquisti, et oblita es Domini
Dei Creatoris tui.

171

Sœur Julie effleure de sa langue et de ses dents les doigts de l'exorciste, en même temps qu'elle goûte le sel.

Ipse tibi imperat, Diabole, qui ventis et mari, ac tempestatibus imperavit ; Ipse tibi imperat, maledicte, qui te de supernis coelorum in inferiora terrae demergi praecepit ; Ipse tibi imperat, qui Adam primum hominem clamavit ! Ipse tibi imperat, qui Ananiam, Azariam, Mizaalem in camino ignis salvavit ; ut recedas ab hac famula Dei. Audi ergo Satana, victus et prostratus recede ; in nomine Patris, et Filii, et Spiritus sancti.

Le grand exorciste est pâle de dégoût et de peur. Il enchaîne rapidement :

Adest, inique Spiritus, judex tuus ; adest summa potestas ; jam resiste si potes. Adest ille, qui pro salute nostra passurus, nunc, inquit, princeps hujus mundi ejicietur foras. Hoc illud corpus est, quod de corpore Virginis sumptum est, quod in spiritu crucis extensum est, quod in tumulo jacuit, quod de morte surrexit, quod videntibus Discipulis ascendit in coelum. In hujus ergo majestatis terribili potestate, tibi Spiritus maligne, praecipio, ut ab hac creatura ejus egrediens, contingere eam deinceps non praesumas.

Le grand exorciste fait à nouveau le signe de la croix sur le front de sœur Julie. En réalité, il évite soigneusement de la toucher, se contentant de la bénir à une distance assez proche pour donner le change, sauf pour sœur Julie qui sourit doucement.

Conjuro et contestor te, Diabole immunde, per nomen Domini nostri Jesu Christi, et imperium ejus, et per virtutem sanctae Trinitatis, per potentiam ejus ; ut tu, Satana exeas, et omnis tua diabolica virtus et potestas immunda ab hac christiana recedat absque laesione animae et corporis. Vade retro Satana.

Sœur Gemma prétend qu'au cours de la cérémonie, chaque fois que le malin était nommé, un petit ange sale et puant, de trois ou quatre pouces de haut, avec des ailes de moineau et une robe rouge, se mettait à sautiller, dans le bas-côté gauche de la chapelle, comme si, chassé de son refuge habituel, il se trouvait soudain obligé de fuir en toute hâte.

Pour ce qui est du grand exorciste, il ne souffla mot aux autorités religieuses de la redoutable confidence de sœur Julie.

Son silence lui paraissait inexplicable.

Je suis complice, je suis sûr que je suis complice.

Rentré dans sa chambre, il n'en finissait pas de se laver les mains, désirant se purifier de la langue râpeuse et des dents blanches de sœur Julie. Et, en même temps, le grand exorciste paraissait attendre je ne sais quelle faveur que sœur Julie lui aurait promise en secret au cours de la cérémonie.

La nuit même, lorsque sœur Julie fit son apparition dans la chambre du grand exorciste, il n'en fut pas surpris outre mesure.

Elle portait sur son dos une poche de velours pourpre à franges dorées faite dans une vieille portière.

— La pourpre cardinalice, petit père ! C'est elle ! Regarde, touche, écoute, sens comme c'est bon. On en mangerait.

En une seconde, le lit du grand exorciste fut couvert de vêtements splendides et d'insignes somptueux. Chapes de moire, rochets de dentelle fine, chasubles brodées, crosse d'or, anneau d'améthyste et mitre d'évêque.

Tel qu'en lui-même, puéril, frivole et vaniteux, sœur Julie changea le grand exorciste jusqu'au matin. Il se prélassa parmi les beaux costumes, les caressa, les revêtit. En grande pompe il parada devant sa glace.

L'enchantement dura jusqu'à ce que sonne l'angélus au clocher de la basilique.

Le grand exorciste eut beaucoup de mal à s'arracher au sommeil ce matin-là. Ses paupières étaient lourdes et il avait la nausée.

Si c'est une fille, je l'appellerai ma chatte et ma chouette. Si c'est un garçon, je l'appellerai mon amour. Je réussirai là où la pauvre Piggy a échoué. Prisonnière dans un couvent, j'enfanterai par magie. Lorsqu'il sera né, je ferai dormir mon fils entre mes cuisses, jusqu'à ce qu'il soit mûr et devienne un homme. Je triompherai là où Philomène a échoué. Je coucherai avec mon fils. Telle est la loi antique. Le plus grand sorcier est celui qui... Moi, moi, Julie Labrosse dite de la Trinité, je ferai cela. Je serai mère et grande mère, maîtresse et sorcière, je retrouverai la loi la plus profonde, gravée dans mes os. J'oublierai ce couvent de si pauvres magies, toute l'Eglise souffreteuse et mon frère Joseph qui m'a trahie. Ce condamné à mort mérite son châtiment. Mais avant que son cœur ne lui éclate dans la poitrine, il faudra les derniers jours les plus rudes de la longue bataille de Cassino. Plus que quelques mois à attendre, mon petit Joseph, avant que tu puisses mourir, non pas en paix, mais dans l'horreur. Compte sur ma tête de méduse penchée sur toi, au dernier moment. Que tu me reconnaisses seulement et je serai payée de mes peines. Pour finir, si le temps le permet, je pourrai même t'avouer l'heureux événement qui s'accomplit dans mon ventre de bonne sœur...

Elle n'a plus de règles du tout. Elle rend à mesure tout ce qu'elle mange. Elle réclame du blé d'Inde, des gadelles, du pimbina et de la gelée d'atoca ; toutes sortes de nourritures qu'on ne trouve pas au couvent. Elle bave comme un enfant qui fait ses dents. Elle est constipée. Elle fait pipi toutes les heures, ce qui ennuie fort la petite sœur chargée de ramener les paniers par le vasistas, au-dessus de la porte de sœur Julie. Mais elle passe le plus clair de son temps à dormir, bras et jambes épars, frappée de stupeur bienheureuse. Au réveil, elle ouvre sa chemise et soupèse ses seins gravement, appelle une des sœurs de garde afin qu'elle puisse constater avec elle le volume de plus en plus considérable de sa poitrine, lourde et tendue. Le mamelon est plus dur et plus sensible. En y touchant du bout des doigts, sœur Julie pousse de petits cris où se mêlent la douleur et le plaisir. Certaines odeurs lui sont devenues insupportables. L'encens et le chou la font se tordre de dégoût sur son lit.

En dépit des consignes de silence, rigoureusement respectées par les sœurs surveillantes, tout le monde est au courant de ce qui se passe. Sœur Julie, quoique enfermée, émet des ondes qui se propagent dans toute la maison. Elle est le centre de la vie et existe si fortement, parmi les mortes-vivantes, que cela devient intolérable. Elle proclame qu'elle est enceinte et va vivre cela dans le bruit et la fureur, jusqu'à la fin.

Jean Painchaud, qui s'était pourtant juré de ne plus remettre les pieds au couvent, examine sœur Julie. Il l'interroge avec précision. Plus qu'un médecin, une sorte de mari ombrageux et soupçonneux.

Les seins de sœur Julie intéressent le médecin au plus haut point. N'est-il pas le seul à voir les petites saillies entourant les aréoles ?

Jour après jour, il revient, fasciné par ce qui se passe dans le corps de sœur Julie. Chaque fois, il l'interroge longuement, en présence de la supérieure. Mais ce n'est qu'à partir du quatrième mois qu'il obtient de mère Marie-Clotilde la permission de pratiquer un examen gynécologique complet.

Le visage de sœur Julie est couvert de petites taches brunes si rapprochées qu'elles lui font un masque terreux. Ses yeux paraissent plus pâles, soudain dénués de toute pupille, liquides comme des flaques. La ligne médiane de son ventre est brune, comme tracée au pinceau. Ses seins gonflés laissent couler une sorte de liquide blanchâtre. L'utérus a considérablement augmenté de volume.

Et pourtant impossible au Dr Painchaud de déceler au stéthoscope le battement du cœur de l'enfant. Sœur Julie prétend que son enfant déteste les étrangers. Il se recroqueville dans son logement et retient les battements de son cœur dès qu'on l'ausculte. Inutile d'insister de crainte que l'enfant ne tombe en syncope.

— Et puis je crois que mon enfant n'a pas de cœur ! Elle rit.

Le docteur parle de grossesse nerveuse à la mère supérieure. Mais il se garde bien d'avouer ce qu'il est le seul à savoir. Sœur Julie n'est pas vierge. Jean Painchaud en éprouve un pincement au cœur quasiment insoutenable.

Mon enfant vit. Mon enfant bouge. Il me donne des coups de pied dans le foie. Mon enfant n'a pas de père. Il est à moi, à moi seule. J'ai ce pouvoir. Adélard et Philomène me l'ont conféré en me sacrant sorcière et toute-puissante dans la montagne de B...

Une couronne sur ma tête, pieds et mains liés, ils me prennent dans leurs bras, me font faire le tour du cercle de craie sur le plancher. Ils appellent à voix basse

176

et rauque les maîtres du Nord, de l'Est, du Sud et de l'Ouest. Le vent se met à siffler autour de la cabane. Je jure d'obéir à la loi.

Derrière la vitre du vasistas, deux figures de bonnes sœurs s'écrasent le nez. Leur témoignage est irréfutable.

— Sœur Julie est devenue raide comme une barre. Ses chevilles et ses poignets avaient l'air attachés par des cordes.

— Tout son corps tendu s'est soulevé au-dessus du lit, sans s'appuyer à rien. On aurait dit qu'il flottait dans l'air.

— La tête était renversée en arrière, comme celle d'une morte.

— Il s'est mis à faire très froid dans le corridor. Un grand courant d'air a secoué l'escabeau où on était perchées, nous deux, les gardiennes de sœur Julie.

Ordre de la supérieure, la vitre du vasistas a été badigeonnée de blanc, et les deux gardiennes expédiées à la chapelle. Mère Marie-Clotilde s'occupera elle-même de tout ce qui regarde le service de sœur Julie.

Léo-Z. Flageole accompagne maintenant la supérieure dans l'antre de sœur Julie. Il regarde attentivement, prend des notes, prépare un second dossier, plus volumineux, à l'intention de l'archevêché.

Une lettre est enfin arrivée en provenance du comté de Lobinière. Mère Antoine de Padoue l'avait commencée ainsi, cette lettre adressée à mère Marie-Clotilde :

« J'ai connu sœur Julie de la Trinité, lors de son entrée dans notre sainte maison. Elle devait avoir treize ou quatorze ans. Galeuse et pleine de poux, il a d'abord fallu la laver et la soigner. Sa piété était remarquable. Son amour de la pénitence stupéfiant. Ne sachant ni lire ni écrire, elle l'a appris en quelques semaines. Pour ce qui est de sa famille je me vois dans l'obligation de... »

Terrassée par une crise cardiaque, mère Antoine de Padoue n'a jamais terminé sa lettre.

Jean Painchaud se languit de sœur Julie. Plus aucune apparition ne se produit, la nuit, dans le bureau du docteur. Ni angoisse, ni volupté, le Dr Painchaud retrouve son existence monotone et plate d'avant sœur Julie. Seule, la pensée de la grossesse de sœur Julie l'arrache à son ennui, lui redonne vie, chagrin et jalousie.

Petit singe furieux, le visage bruni de sœur Julie se fronce, grimace, entre en transe. Elle agite les bras, se dandine et se déhanche, tape du pied, crache et grince des dents. Elle se gratte jusqu'au sang, de par tout le corps, fait mine de chercher des poux dans ses cheveux, les écrase entre l'ongle de son pouce et celui de son index. On entend crépiter quelque chose entre ses doigts. On perçoit tout autour d'elle des bruits mats comme de grosses gouttes de pluie espacées, tombant sur le plancher. Elle se cambre, projette son ventre énorme marqué de fines petites lignes rosâtres et nacrées.

— Cher trésor des âmes pieuses, écoute bien. Tu entends comme ça gigote là-dedans ? C'est mon bébé chéri qui se déchaîne.

Le ventre tendu de sœur Julie est agité de soubresauts et de contractions.

Le docteur laisse tomber son stéthoscope. Il saisit le poignet de sœur Julie, lui parle entre ses dents, afin que ni la supérieure ni l'aumônier n'entendent ce qu'il dit.

— Qui est le père de ce petit monstre qui se démène ?

Le rire de sœur Julie est si guttural et violent que le docteur recule. Elle s'écroule de rire sur son lit.

— Maudite ! Maudite !

hurle le docteur.

Il sort en clanquant la porte. Il ne reviendra pas d'ici une semaine.

Mère Marie-Clotilde, sur l'ordre de Léo-Z. Flageole, est sortie de son couvent. La voici qui trottine dans la rue Saint-Jean. Rasant les murs, le regard baissé à la hauteur des chevilles des passants, elle entre chez Wolworth avec précaution, achète une douzaine de paquets d'aiguilles *Milwards needles nickel plated.*

178

Sœur Julie a été ligotée sur son lit pendant son sommeil. Léo-Z. Flageole, très essoufflé et fiévreux, donne des ordres à mère Marie-Clotilde. Il lui tend le savon et le blaireau, puis le rasoir. La supérieure prie Dieu pour ne pas vomir avant la fin de l'opération. L'aumônier prie Dieu afin que le *stigma diaboli* soit clairement localisé sur le corps de sœur Julie.

Cheveux tondus, sourcils, aisselles et pubis rasés, sœur Julie crache comme un chat en colère.

Minutieuse et persévérante, mère Marie-Clotilde pique des aiguilles dans tout le corps de sœur Julie ; sous la direction de Léo-Z. Flageole, elle recherche la marque d'insensibilité compromettante. Le diable se dérobe. Les heures passent. La chair de sœur Julie réagit normalement, souffre et saigne lorsqu'on la pique.

Très tard, dans la nuit, lorsque les respirations de la victime et celles des bourreaux n'en font plus qu'une, déchirante et oppressée, la marque sortilège est découverte, au bas du dos de sœur Julie et à son épaule gauche. Aucune sensibilité, ni goutte de sang, là où de nettes cicatrices nacrées témoignent d'anciennes blessures.

Mère Marie-Clotilde craint de s'évanouir. Elle enlève ses lunettes, s'essuie le front. Ses yeux de cavale folle ont l'air de vouloir lui sortir de la tête.

Miraculeusement guéri de son asthme, Léo-Z. Flageole, calme et reposé, rédige son rapport pour l'archevêché, jusque tard dans la matinée, ayant oublié de dire sa messe.

Elle, toujours elle, renaissant sans cesse de ses cendres, de génération en génération, de bûcher en bûcher, elle-même mortelle et palpable, et pourtant surnaturelle et maléfique ; sa chair et ses os, son sourire perfide, ses dents, ses ongles et ses os... Sa chevelure tondue repousse comme les cheveux des morts. (Six pieds sous terre, l'herbe folle et vivace sur le crâne blanc.) Elle qu'on emprisonne et qui file, à travers les murs, comme l'eau, comme l'air. Elle est partout à la fois. Dans la pharmacie où on la tient prisonnière, chez les dames du Précieux-

Sang et sur la côte de la Canoterie, là où une vieille prostituée a été poignardée. La voici au chevet de sa belle-sœur qui est en train d'accoucher. *Somewhere in England.* Mère et enfant se portent mal et trépassent ensemble. Sœur Antoine de Padoue n'a pu terminer sa lettre. Le mauvais œil de sœur Julie s'est fixé sur la vieille religieuse qui en savait trop. Elle, enceinte de je ne sais quel fœtus sacrilège. Homme ou diable, c'est une abomination. Elle, dans le blasphème et l'ordure. Elle, jour et nuit, dans ce couvent, agissant comme un levain pourri dans l'âme de ses compagnes sans défense. Elle ! Toujours elle ! Sorcière ! Et sa mère l'était aussi. (Tout le monde sait que la sorcellerie est héréditaire.) Et son arrière-grand-mère. Et son arrière-arrière-grand-mère. Et l'ancêtre, là, tout au bout de la lignée, traverse l'Océan, sur un bateau à voiles, en plein XVIIe siècle. Elle avec qui son mari n'a jamais pu « ménager » parce qu'elle était sorcière, là-bas, dans les vieux pays, en France. Elle se glisse parmi les immigrants et met pied en Canada. Elle apprivoise les herbes sauvages, mêlées aux broussailles des forêts. Elle prépare les onguents et la drogue, décante la haine et l'amour, les rend fous, les lâche tout accouplés, noués vifs, sur les terres nouvelles.

Moi, Léo-Z. Flageole, prêtre aumônier des dames du Précieux-Sang, fais serment à Québec et déclare, le 3 janvier 1944, que sœur Julie de la Trinité est sorcière, portant la marque du diable sur son corps, à deux endroits différents. Au bas des reins et à l'épaule gauche. Sœur Julie tient cet état lamentable de sa mère, qui le tenait de sa grand-mère, et ainsi de suite jusqu'à Barbe Hallé, née à La Coudray, en Beauce, France, en 1645.

Depuis l'opération des aiguilles pratiquée sur le corps de sœur Julie, mère Marie-Clotilde a tout à fait perdu le sommeil. Elle erre dans le couvent toute la nuit, en grand costume des dames du Précieux-Sang. Le moindre soupir dans l'ombre l'attire et la fait courir d'un bout à l'autre du couvent. Elle réconforte les malades, console la novice

180

qui pleure dans son oreiller, écoute longuement, l'oreille contre les portes, avec le désir éperdu de tout effacer, de tout réparer, d'empêcher la douleur de prendre racine et de se développer, telle une plante envahissante dans tout le couvent.

Une nuit, c'est une plainte lointaine et continue, un seul souffle, filé interminablement, qui a conduit mère Marie-Clotilde au grenier.

Un petit lit de fer noir est dressé dans un coin du grenier. Une couverture blanche remontée jusqu'au menton, un enfant est couché sur le dos. Il pleure d'une voix égale, sans commencement ni fin. Mais est-ce bien un enfant ? Mère Marie-Clotilde s'approche et se penche sur le lit. Elle voit le désespoir de tout près, de ses yeux impitoyables de myope.

« La peine du dam », pense mère Marie-Clotilde. Elle regarde, ne pouvant s'empêcher de regarder, quoique cela soit plus insoutenable qu'aucune vision du Christ crucifié. Un corps, moitié enfant, moitié animal, torturé durant l'éternité. Une tête de petit bouc à qui on a limé les cornes.

Mère Marie-Clotilde sait qu'elle se trouve en présence du démon et, en même temps, elle ne peut s'empêcher d'éprouver une grande compassion.

Le lendemain matin, il n'y a plus trace du lit de fer au grenier.

Prions mes sœurs.

Kyrie eleison
Christe eleison.

— Son enfant grossit de jour en jour.

— Elle le porte très en avant.

— Elle doit le sentir jusque sous ses côtes. Il la gêne pour respirer. Il la gêne pour avaler.

— Il prend toute la place en elle.

Sainte Marie.
Sainte Vierge des vierges.
Miroir de la sainteté divine.

— Ce sera un garçon. Son cœur bat comme un tambour, résonne dans toute la pièce où elle est prisonnière. Je l'ai entendu à travers la porte fermée, en passant dans le corridor.

Trône de la sagesse.
Cause de notre joie.

— Mère Marie-Clotilde a mis de la peinture blanche sur la vitre au-dessus de la porte de sœur Julie. J'ai gratté un petit coin de la peinture avec un manche à balai. J'ai approché un escabeau...

Rose mystérieuse.
Tour de David.
Tour d'ivoire.

— Le docteur n'ose plus l'ausculter. Elle l'a défendu.

— Elle prétend que cela peut faire mourir son bébé. Comme le docteur regarde tristement sœur Julie !

— Elle n'a que faire de la pitié du docteur.

Maison d'or.
Arche de la nouvelle alliance.
Porte du ciel.

— Le docteur s'est fâché contre sœur Julie. Il l'a accusée de jouer la comédie. Il dit que son gros ventre est vide, plein d'air comme un ballon.

Etoile du matin.
Santé des malades.
Refuge des pécheurs.

— Mon Dieu, quel miracle est-ce là ! Quel rêve ! Pourquoi sœur Julie ? Pourquoi pas moi ?

— Et moi ?

— Et moi ? Cet enfant, elle l'a fait toute seule, sans le secours d'aucun homme.

— Vous savez bien que ce n'est pas possible, ma sœur.

— La Vierge Marie l'a bien fait, elle !

— Une fois seulement, dans toute l'histoire de l'humanité, une vierge mère.

— Et si le Messie cherchait à revenir sur terre ?

— Et si c'était l'antéchrist ?

— Ah ! Taisez-vous, ma sœur, vous me faites mourir.

— Moi, je prétends que c'est le diable qui... Sœur Julie est possédée.

— A moins qu'elle n'ait fauté avec le docteur.

— Ce n'est pas possible, notre mère supérieure accompagne toujours le docteur dans la chambre de sœur Julie.

— Ce serait un bien grand crime.

— Un péché mortel, ma sœur.

Agneau de Dieu qui effacez les péchés du monde,
Pardonnez-nous, Seigneur.

— Il me semble qu'un enfant a crié ? N'entendez-vous pas, ma sœur ?

C'était un petit cri qui paraissait venir de loin, comme enfermé à l'intérieur des murs il y a une seconde à peine. On ne peut dire si on a rêvé ou non ; on aurait dit un tout petit chat perdu...

Agneau de Dieu qui effacez les péchés du monde, Exaucez-nous, Seigneur.

Silence.

La consigne est de prier sans arrêt. Que les litanies succèdent aux litanies ! Il se fait tard. Ordre est de ne pas bouger de la chapelle. Ordre a été donné de ne plus communiquer avec l'extérieur. Aucun visiteur ne peut plus être admis au parloir des Dames du Précieux-Sang.

— La dame du plus précieux sang, c'est moi !

crie sœur Julie.

Elle est assise sur le bord de son lit. Jambes ouvertes, ruisselantes de sang. Elle tient un nouveau-né dans ses bras, le lèche et lui souffle dans la bouche. Elle triomphe.

Trois personnes se sont précipitées dans la pièce, comme on entre dans la cage d'une lionne qui vient de mettre bas.

Sœur Julie, d'un bond, saute à terre, l'enfant accroché à son bras. Elle ramasse quelque chose qu'elle met dans sa bouche, dit que c'est l'enveloppe de son enfant, et qu'elle doit l'avaler, pour son plus grand bien. Elle montre les dents.

— C'est moi qui ai grugé le cordon, pour le couper !

Dans une pièce, à peine plus grande qu'une armoire, mère Marie-Clotilde, l'abbé Flageole et le Dr Painchaud respirent le même air empoisonné que sœur Julie. Enfermés avec elle, livrés aux mêmes sortilèges, ils sont là, stupéfaits. Face à une situation inconcevable.

Comment cela est-il possible ? Cette fille, gardée, surveillée, claquemurée dans un couvent fermé à double tour, a trouvé moyen de faire un enfant ? Par magie, dit-elle. Et nous voici avec un bébé sur les bras, nous, les dames du Précieux-Sang ! Le scandale appelle le scandale. Bientôt nous serons dépendants des mêmes lois que sœur Julie. Une seule réalité démente pour tous. Une seule méchanceté absolue. Sollicités par le diable, nous lui répondrons et nous serons agis par lui, à notre tour. La cruauté n'aura plus de secrets pour nous.

Il faut sauver la réputation du couvent, à n'importe quel prix.

Déjà Léo-Z. Flageole et mère Marie-Clotilde, sans échanger un seul mot, ni un seul regard, ont résolu de leur intégration dans le monde de sœur Julie. Le sort de l'enfant est décidé, pour la plus grande paix du couvent. Le mal, une fois lâché, est impossible à retenir. Il faut qu'il laisse échapper tout son venin et qu'il fasse son temps. Après, seulement après, nous nous abîmerons dans une vie de pénitence. Ayant eu la révélation du péché, l'ayant commis pour notre propre compte, nous n'aurons plus qu'à l'expier, en toute connaissance de cause, jusqu'à la mort. Nous paierons notre dette à Dieu, ou au diable, peut-être même l'avons-nous payée d'avance ? Tant de prières et de sacrifices, depuis le commencement des temps, et l'obscure faute originelle à racheter et le seul fait d'être au monde, dans un pays précis du monde ? Notre pénitence sera sans fin.

Le premier qui fait un geste, c'est le Dr Painchaud : une sorte d'automatisme professionnel. Il dit à sœur Julie de se coucher. Sœur Julie pleure à gros sanglots. Elle se couche docilement. Le docteur essuie le front et le visage de sœur Julie.

— Il faut dormir. Il le faut. Je vais vous faire une piqûre.

Mère Marie-Clotilde enveloppe le bébé dans un pan de son voile. Sœur Julie n'a pas un geste pour prendre l'enfant. Ne faut-il pas que la volonté de son maître soit faite ? Sitôt l'injection dans les veines, elle sombre dans le sommeil, parfaitement consentante et contentée, épuisée.

Jean Painchaud se penche au-dessus de sœur Julie, déjà hors d'atteinte. Il la supplie de ne pas l'abandonner. Il dit que la naissance de l'enfant lui déchire le cœur. Il insiste pour connaître le nom du père. Sœur Julie dort profondément.

Le docteur quitte le couvent, sans un regard pour le bébé qui s'égosille. Tandis que mère Marie-Clotilde l'emporte, caché dans son voile.

> *Le Seigneur est mon berger.*
> *Je ne manque de rien.*
> *Sud des prés d'herbe fraîche*
> *Il me fait reposer.*
> *Vers les eaux du repos, il me mène*
> *Pour y refaire mon âme.*

Il s'agit de chanter haut et fort, dans un grand déploiement d'harmonium. C'est notre supérieure qui nous l'a ordonné, afin que personne, dans ce couvent, n'entende plus la voix de chaton nouveau-né enfermée dans la muraille. Nous n'aurons la permission de regagner nos cellules que lorsque le silence sera tout à fait rétabli dans la maison.

Mère Marie-Clotilde a déposé le bébé sur son bureau. Elle le regarde fixement. A la fois fascinée et dégoûtée, ramassant ses forces, se rechargeant, comme une pile électrique, en vue d'une dépense extraordinaire d'énergie.

L'abbé Flageole est à côté d'elle, de l'autre côté du bureau. Il regarde aussi l'enfant, impatient de livrer passage en lui à cette violence qui s'organise et s'apprête. Tandis que son esprit de curé raisonne et rationalise, à qui mieux mieux, invente du même coup le crime et sa justification.

Rouge et fripé, grimaçant, oreilles volumineuses, tête énorme, déformée et sans cou, mains violettes, abdomen saillant, membres grêles, sexe géant, il ramène ses petits bras vers sa poitrine et ses petites cuisses vers son ventre. Sa poitrine se soulève, de plus en plus rapidement. Il crie de moins en moins fort.

« Il a l'air d'un crapaud », pense mère Marie-Clotilde.

« C'est le fils du démon, pense Léo-Z. Flageole. On

étouffe ici. Cet enfant répand autour de lui une chaleur qui n'est pas naturelle. »

L'aumônier est inondé de sueur. Il ouvre largement la fenêtre sur la nuit d'hiver. Il prend de la neige, à pleines mains, sur le rebord de la fenêtre. Il en couvre l'enfant. Comme s'il voulait éteindre le feu de l'enfer.

Je leur ai donné le démon à communier. Le mal est en eux maintenant. Un nouveau-né étouffé dans la neige. Je n'ai plus rien à faire dans cette maison. Mission accomplie. Mon maître sera content. Il m'attend dehors.

Sœur Julie de la Trinité a revêtu la jupe et la veste qu'elle s'est grossièrement confectionnées à même sa couverture de flanalette grise. Sur sa tête tondue, un mouchoir blanc noué sous le menton. Elle a soigneusement étendu sur le lit sa défroque de dame du Précieux-Sang, ne voulant rien emporter de son costume religieux.

Le système de poulie, de cordes et de petits paniers installé dans le vasistas par mère Marie-Clotilde lui est d'un grand secours, une fois de plus. Il s'agit de bien fixer le tout à la fenêtre. Heureusement que cette fenêtre donne sur la rue.

Le ciel haut est plein d'étoiles. La neige fraîchement tombée a des reflets bleus. Une paix extraordinaire. La ville entière dort. Un jeune homme, grand et sec, vêtu d'un long manteau noir, étriqué, un feutre enfoncé sur les yeux, attend sœur Julie, dans la rue.

OUVRAGES CONSULTÉS

Robert Mandrou, *Magistrats et Sorciers en France au* XVIIIe *siècle*, Paris, Plon, 1968.

Robert-Lionel Séguin, *La Sorcellerie au Québec du* XVIIIe *au* XIXe *siècle*, Montréal, Ed. Léméac, 1971.

François Ribadeau-Dumas, *Les Dossiers secrets de la sorcellerie et de la magie noire*, Paris, Belfond, 1971.

Julio Caro Baroja, *Les Sorcières et leur monde*, Paris, Gallimard, 1972.

Justine Glass, *La Sorcellerie*, Paris, Payot, 1971.

Jules Michelet, *La Sorcière*, Paris, Garnier-Flammarion, 1966.

Les Sorcières, Paris, exposition à la Bibliothèque nationale en 1973.